A-Z CAM

CONT

Map Pages	2-33
Index to Streets	34-45
Index to Colleges and Places of Interest	46-47

REFERENCE

Motorway M11

A Road A14

B Road B1049

Dual Carriageway

One Way Street
Traffic flow on A Roads is indicated by a heavy line on the drivers left.

Pedestrianized Road

Restricted Access

Track

Residential Walkway

Footpath

Railway — Level Crossing — Station

Local Authority Boundary

Postcode Boundary
By arrangement with the Post Office

Built Up Area — MILL ST.

Colleges

Places of Interest

Map Continuation 20 — Large Scale City Centre 2

Ambulance Station

Car Park

Church or Chapel

Cycle Route
Recommended Route for Cyclists
(may be shared with pedestrian or vehicular traffic)

Fire Station

Hospital

House Numbers Selected Roads 83 96

Information Centre

National Grid Reference ⁵45

Police Station

Post Office

Toilet
with Disabled Facilities

SCALE 1:16,896
3¾ inches to 1 mile

Geographers' A-Z Map Co. Ltd.

Head Office : Fairfield Road, Borough Green, Sevenoaks, Kent TN15 8PP Telephone 01732 781000
Showrooms : 44 Gray's Inn Road, Holborn, London WC1X 8HX Telephone 0171-242-9246

The Maps in this Atlas are based upon the Ordnance Survey 1 :10,560 Maps with the permission of the Controller of Her Majesty's Stationery Office.

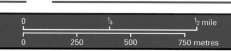

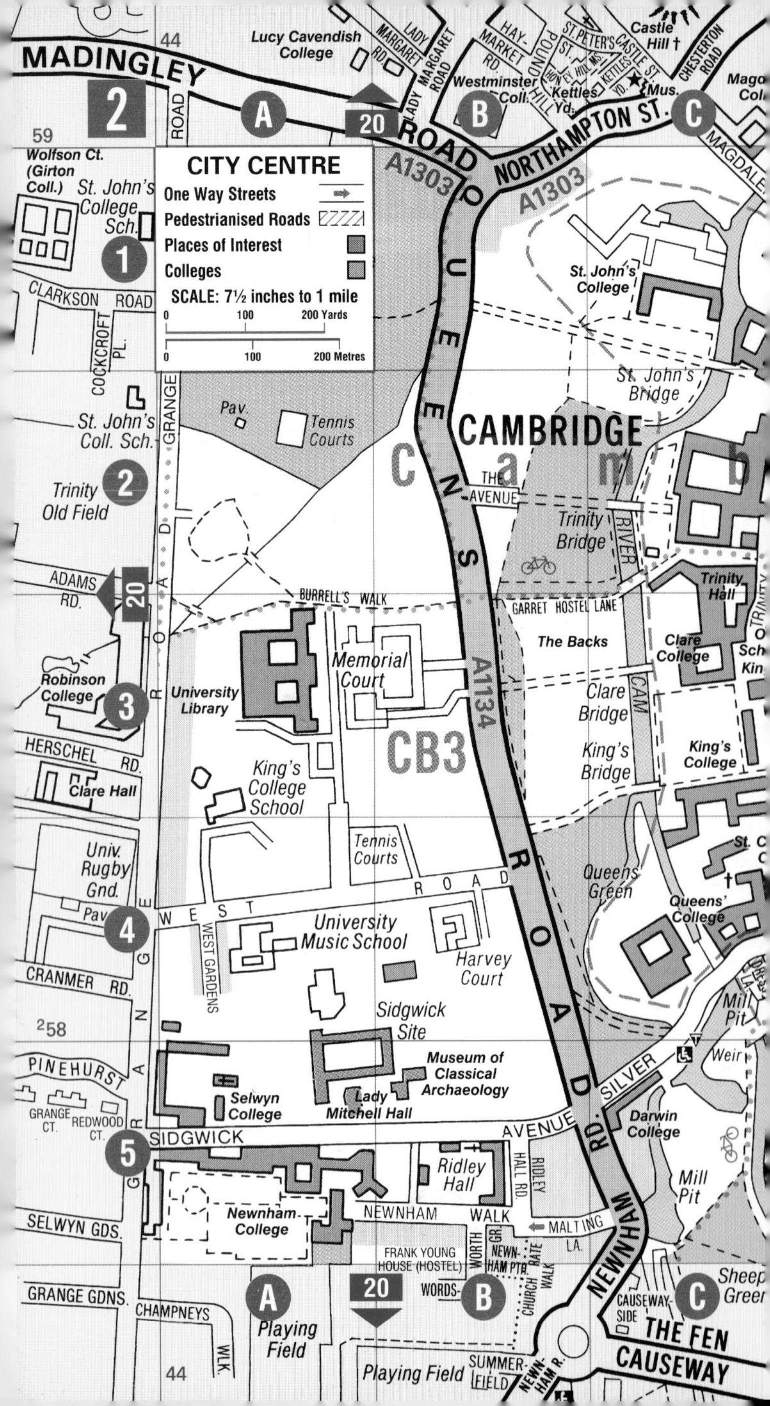

2
CITY CENTRE
One Way Streets
Pedestrianised Roads
Places of Interest
Colleges
SCALE: 7½ inches to 1 mile
0
100
200 Yards
0
100
200 Metres
CAMBRIDGE
CB3
MADINGLEY ROAD
A1303
NORTHAMPTON ST.
QUEENS ROAD
A1134
Lucy Cavendish College
LADY MARGARET RD.
LADY MARGARET ROAD
HAYMARKET RD.
POUND HILL
ST. PETER'S ST.
CASTLE ST.
Castle Hill
CHESTERTON ROAD
Westminster Coll.
Kettles Yd.
Mus.
MAGDALENE
Wolfson Ct. (Girton Coll.)
St. John's College Sch.
CLARKSON ROAD
COCKCROFT PL.
St. John's Coll. Sch.
GRANGE ROAD
Pav.
Tennis Courts
St. John's College
St. John's Bridge
Cam
Trinity Old Field
THE AVENUE
Trinity Bridge
RIVER CAM
ADAMS RD.
20
BURRELL'S WALK
GARRET HOSTEL LANE
Trinity Hall
The Backs
Clare College
Robinson College
University Library
Memorial Court
Clare Bridge
King's Bridge
King's College
HERSCHEL RD.
Clare Hall
King's College School
Tennis Courts
Univ. Rugby Gnd.
Pav.
WEST ROAD
Queens Green
Queens' College
University Music School
Harvey Court
WEST GARDENS
CRANMER RD.
Sidgwick Site
Mill Pit
258
PINEHURST
Weir
Museum of Classical Archaeology
SILVER ST.
Selwyn College
Lady Mitchell Hall
Darwin College
GRANGE CT.
REDWOOD CT.
SIDGWICK AVENUE
Ridley Hall
HALL RD.
RIDLEY
Mill Pit
Newnham College
NEWNHAM WALK
MALTING LA.
SELWYN GDS.
FRANK YOUNG HOUSE (HOSTEL)
WORDSWORTH GR.
NEWNHAM PTH.
CHURCH RATE WALK
NEWNHAM RD.
Sheep Green
GRANGE GDNS.
CHAMPNEYS WLK.
Playing Field
CAUSEWAY-SIDE
THE FEN CAUSEWAY
Playing Field
SUMMERFIELD
NEWNHAM R.
A
B
C
1
2
3
4
5
44
59

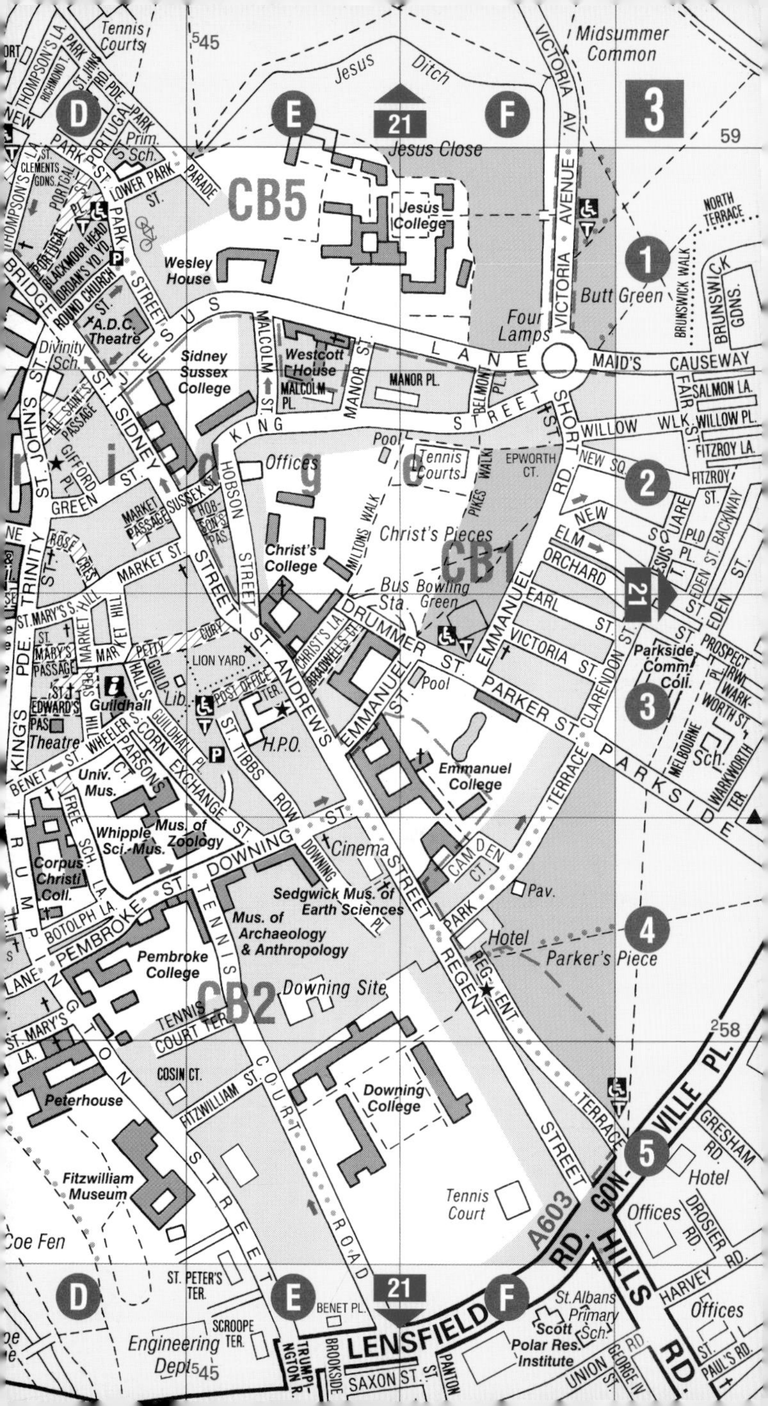

Midsummer Common
Jesus Ditch
21
Jesus Close
CB5
Jesus College
Wesley House
A.D.C. Theatre
Divinity Sch.
Sidney Sussex College
Westcott House
MANOR PL.
Four Lamps
Butt Green
VICTORIA AVENUE
JESUS LANE
MAID'S CAUSEWAY
NORTH TERRACE
BRUNSWICK WALK
BRUNSWICK GDNS.
SALMON LA.
WILLOW WLK.
WILLOW PL.
FITZROY LA.
KING STREET
Offices
Pool
Tennis Courts
EPWORTH CT.
PIKES WALK
Christ's Pieces
CB1
Christ's College
MILTONS WALK
Bus Sta.
Bowling Green
NEW SQUARE
ELM ST.
ORCHARD ST.
EARL ST.
VICTORIA ST.
EMMANUEL RD.
Parkside Comm. Coll.
PROSPECT ROW
WARKWORTH ST.
MELBOURNE PL.
Sch.
PARKER ST.
PARKSIDE
DRUMMER ST.
Emmanuel College
LION YARD
Lib.
POST OFFICE TER.
H.P.O.
Guildhall
Theatre
Univ. Mus.
Mus. of Zoology
Whipple Sci.-Mus.
CORN EXCHANGE ST.
DOWNING ST.
Cinema
Sedgwick Mus. of Earth Sciences
Mus. of Archaeology & Anthropology
Corpus Christi Coll.
Pembroke College
CB2
Downing Site
Pav.
Hotel
Parker's Piece
REGENT STREET
PARK TERRACE
Peterhouse
COSIN CT.
FITZWILLIAM ST.
TENNIS COURT RD.
Downing College
Fitzwilliam Museum
Coe Fen
Tennis Court
A603
GONVILLE PL.
GRESHAM RD.
Hotel
Offices
DROSIER RD.
HILLS RD.
LENSFIELD RD.
St. Albans Primary Sch.
Scott Polar Res. Institute
Engineering Dept.
ST. PETER'S TER.
SCROOPE TER.
BENET PL.
TRUMPINGTON R.
BROOKSIDE
SAXON ST.
PANTON ST.
UNION RD.
GEORGE IV ST.
HARVEY RD.
ST. PAUL'S RD.
3
59
258
545

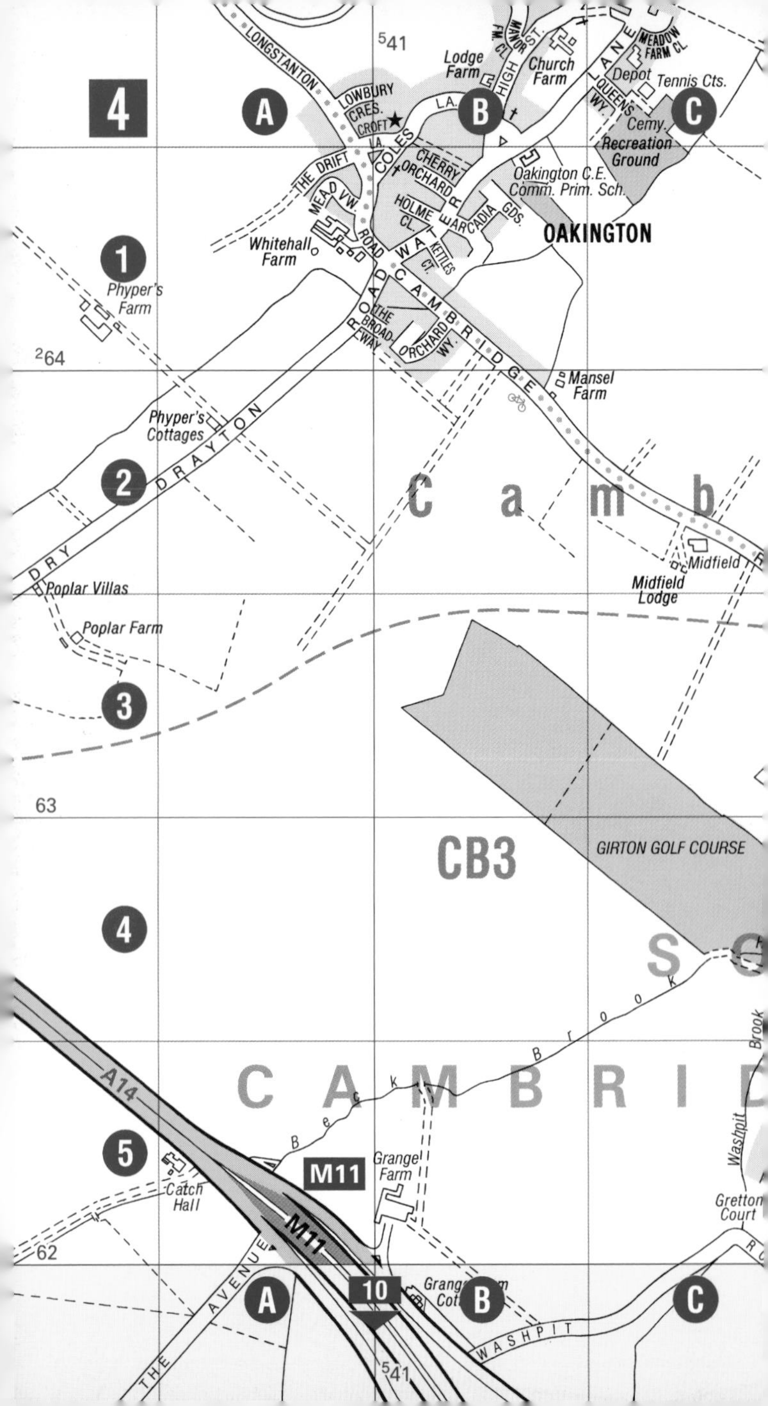

4

A   **B**   **C**

541

LONGSTANTON

Lodge
Farm

Church
Farm

MEADOW
FARM CL

Depot

Tennis Cts.

LOWBURY
CRES.
CROFT

HIGH ST

QUEENS
WY.

Cemy.
Recreation
Ground

1

THE DRIFT

COLES LA.

MEAD VW.
ROAD

CHERRY
ORCHARD

Oakington C.E.
Comm. Prim. Sch.

ARCADIA GDNS.

Phyper's
Farm

Whitehall
Farm

HOLME
CL.

KETTLES CT.

OAKINGTON

²64

THE BROAD WAY

THE ORCHARD WY.

A D C A M B R I D G E

Mansel
Farm

2

DRAYTON

Phyper's
Cottages

C   a   m   b

DRY

Poplar Villas

Midfield

Midfield
Lodge

Poplar Farm

3

63

CB3

GIRTON GOLF COURSE

4

S

A14

Brook

5

Catch
Hall

M11

Grange
Farm

M11

C A M B R I D

Beck

Washpit

Gretton
Court

62

A

10
541

M11

Grange Farm
Cott.

B

WASHPIT

C

THE AVENUE

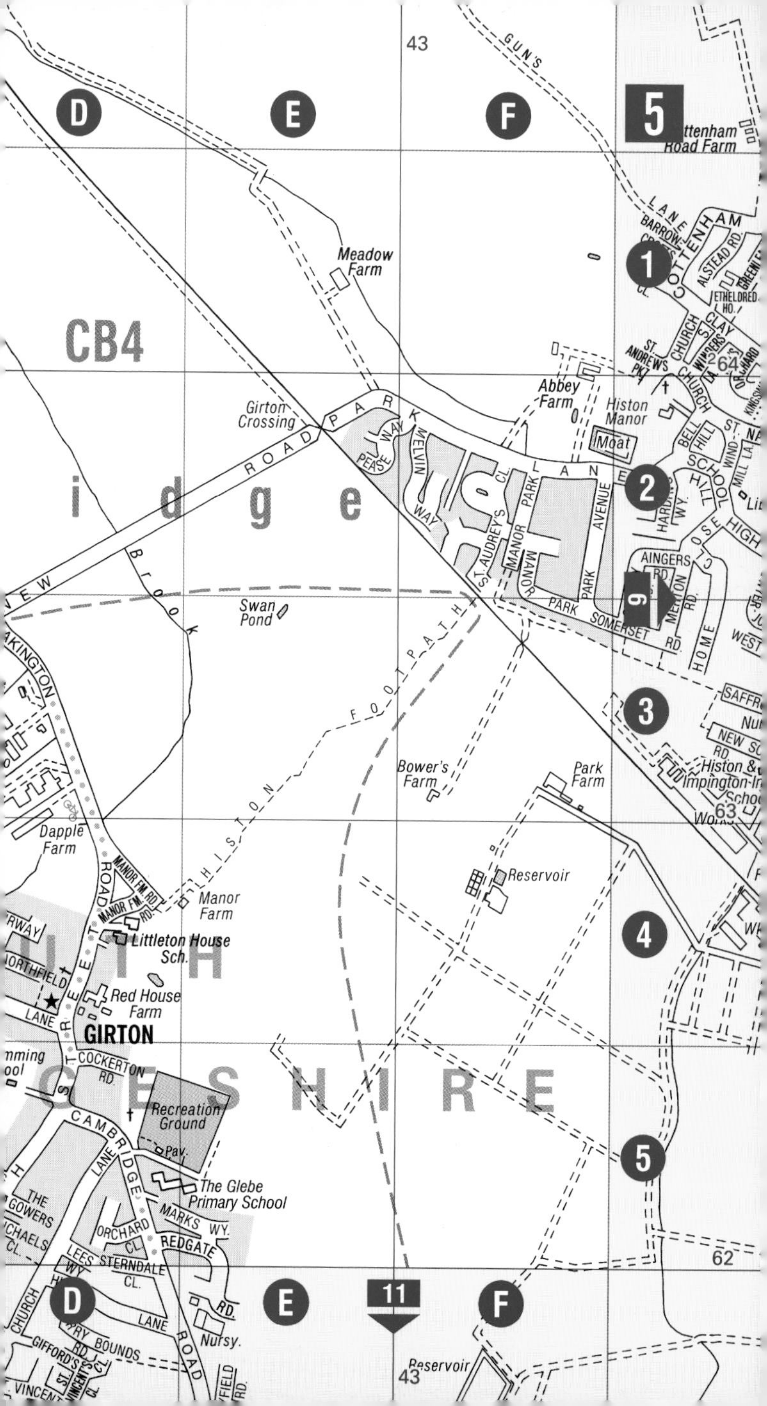
43
D
E
F
5
Cottenham Road Farm
GUN'S LANE
BARROW
COTTENHAM
ALSTEAD RD.
ETHELDRED HO.
CLAY
CHURCH
ST. ANDREWS PK.
WINDERS LA.
ORCHARD
64
1
Meadow Farm
CB4
Abbey Farm
Histon Manor
Moat
Girton Crossing
NEW ROAD
PARK LANE
PEASE WAY
MELVIN WAY
ST. AUDREY'S CL.
MANOR PARK
AVENUE
BELL HILL
SCHOOL HILL
WINDMILL LA.
HARDING WY.
2
AINGERS RD.
MERTON RD.
CLOSE
HIGH
PARK
SOMERSET RD.
HOME
WEST
9
i d g e
Brook
Swan Pond
FOOTPATH
OAKINGTON
3
SAFFRO
NEW SC RD.
Histon & Impington Sch.
63
Works
Bower's Farm
Park Farm
HISTON
Dapple Farm
MANOR FM. RD.
Manor Farm
Reservoir
4
Littleton House Sch.
ROAD
STREET
NORTHFIELD
Red House Farm
LANE
GIRTON
COCKERTON RD.
Recreation Ground
Pav.
CAMBRIDGE
LANE
The Glebe Primary School
MARKS WY.
ORCHARD CL.
REDGATE
THE GOWERS
MICHAELS CL.
LEES WY.
STERNDALE CL.
5
62
D
E
11
F
CHURCH
LANE
ROAD
RD.
Nursy.
BURY BOUNDS RD.
GIFFORD'S CL.
ST. VINCENT'S CL.
Reservoir
43

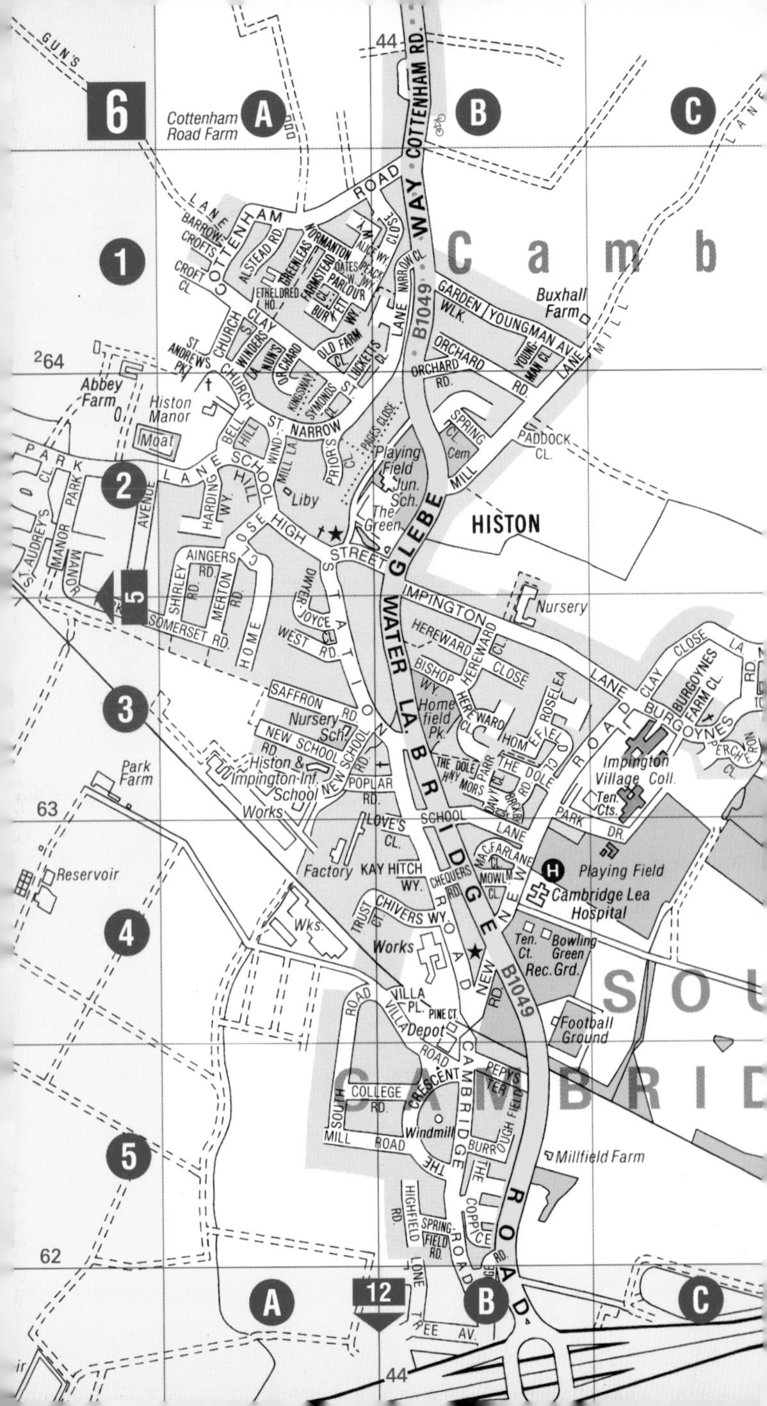
6
A
B
C
1
2
3
4
5
GUN'S
44
COTTENHAM RD.
Cottenham Road Farm
LANE
COTTENHAM ROAD
WAY
Camb
BARROW CROFTS
CROFT CL.
ALSTEAD RD.
GREENLEAS
NORMANTON
ALICE WY.
PEACH
CLOSE
FARMSTEAD
OATES W.
PARLOUR
ETHELDRED HO.
BURKITT WY.
NARROW CL.
LANE
B1049
GARDEN WLK.
YOUNGMAN AV.
YOUNGMAN CL.
Buxhall Farm
MILL LANE
CLAY
CHURCH
WINDERS
NUN'S ORCHARD
OLD FARM CL.
LUCKETTS CL.
ST. ANDREWS PK.
264
Abbey Farm
Histon Manor
Moat
CHURCH
KINGSWAY
SYMONDS
ST.
ORCHARD RD.
ORCHARD RD.
SPRING CL.
Cem
PADDOCK CL.
BELL HILL
NARROW ST.
WIND MILL LA.
PRIOR'S CL.
PAGES CLOSE
Playing Field
Jun. Sch.
The Green
MILL
PARK
CL.
PARK
LANE
SCHOOL HILL
AVENUE
HARDING WY.
CLOSE
Liby
HIGH STREET
GLEBE
HISTON
ST. AUDREY'S
MANOR
MANOR PARK
5
AINGERS RD.
SHIRLEY RD.
MERTON RD.
SOMERSET RD.
HOME
STATION
DWYER-JOYCE CL.
WEST RD.
WATER LA.
BRIDGE
IMPINGTON
Nursery
HEREWARD CL.
HEREWARD CLOSE
BISHOP WY.
HEREWARD CL.
Home field Pk.
ROSELEA
FIELD
HOME
CLOSE
LANE
CLAY
CLOSE
LA.
BURGOYNES FARM CL.
BURGOYNES
PERCHERON CL.
RD.
ROAD
SAFFRON RD.
Nursery Sch.
NEW SCHOOL RD.
NEW SCHOOL RD.
Histon & Impington Inf. School
POPLAR RD.
THE DOLE
HNY MORS
PARR
DAVY CL.
THE DOLE
RD.
Impington Village Coll.
Ten. Cts.
Park Farm
63
Works
LOVE'S CL.
SCHOOL LANE
PARK DR.
MACFARLANE CL.
MOWLM CL.
NEW
Playing Field
Cambridge Lea Hospital
Reservoir
Factory
KAY HITCH WY.
CHEQUERS RD.
Wks.
TRUST CT.
CHIVERS WY.
Works
ROAD
Ten. Ct.
Bowling Green
Rec. Grd.
NEW RD.
B1049
SOU
ROAD
VILLA PL.
VILLA ROAD
PINE CT.
Depot
Football Ground
CRESCENT
CAMBRIDGE
PEPYS TER
COLLEGE RD.
SOUTH
MILL ROAD
Windmill
BURROUGH FIELD
Millfield Farm
CAMBRIDGE
THE
THE COPPICE
HIGHFIELD RD.
SPRINGFIELD RD.
ROAD
62
LONE TREE AV.
12
44

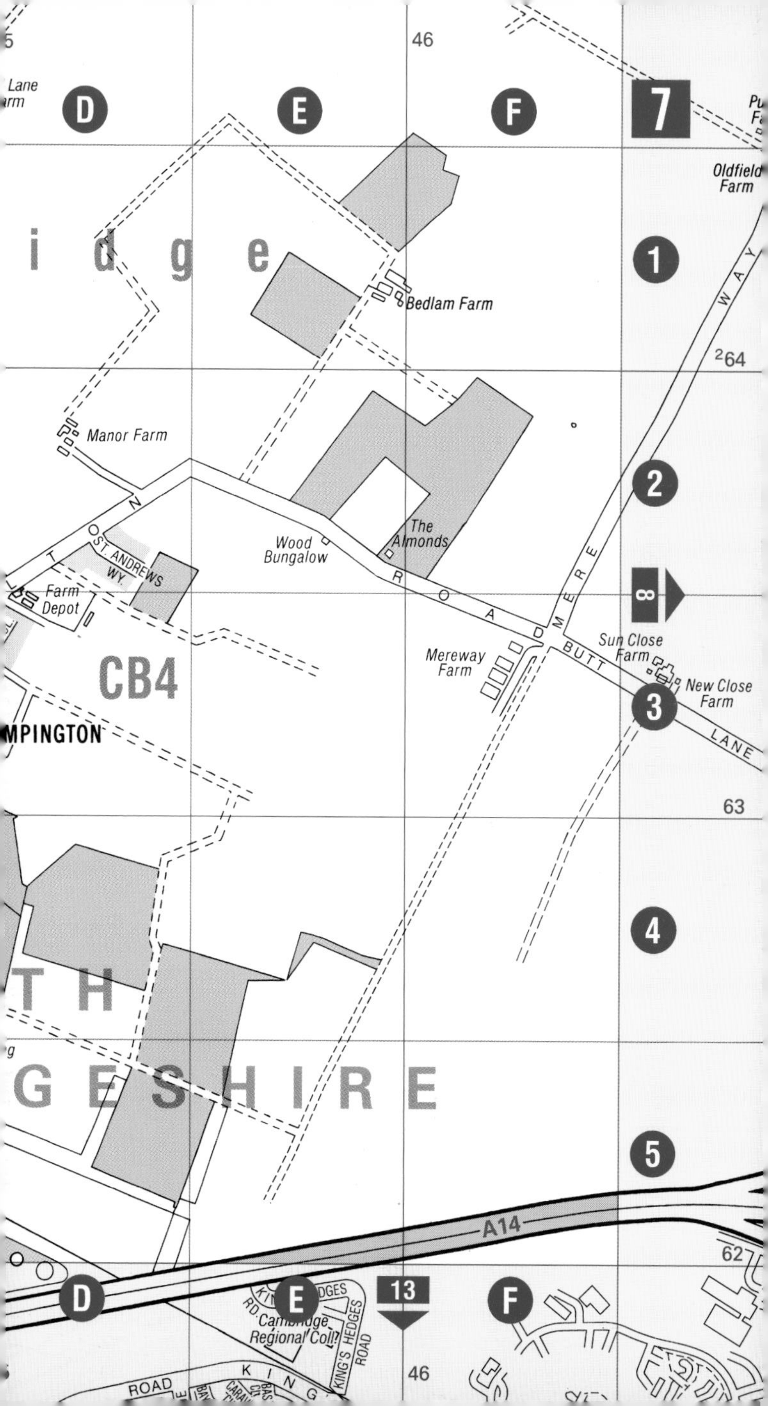
46
Lane
arm
D
E
F
7
Oldfield
Farm
i d g e
Bedlam Farm
1
W A Y
264
Manor Farm
2
N
O
T
ST. ANDREWS
WY.
Farm
Depot
Wood
Bungalow
The
Almonds
R O A D
M E R E
8
Mereway
Farm
BUTT
Sun Close
Farm
New Close
Farm
LANE
CB4
MPINGTON
3
63
4
T H
G E S H I R E
5
A14
62
D
E
F
13
Cambridge
Regional Coll.
KING'S HEDGES
ROAD
46
ROAD
K I N G

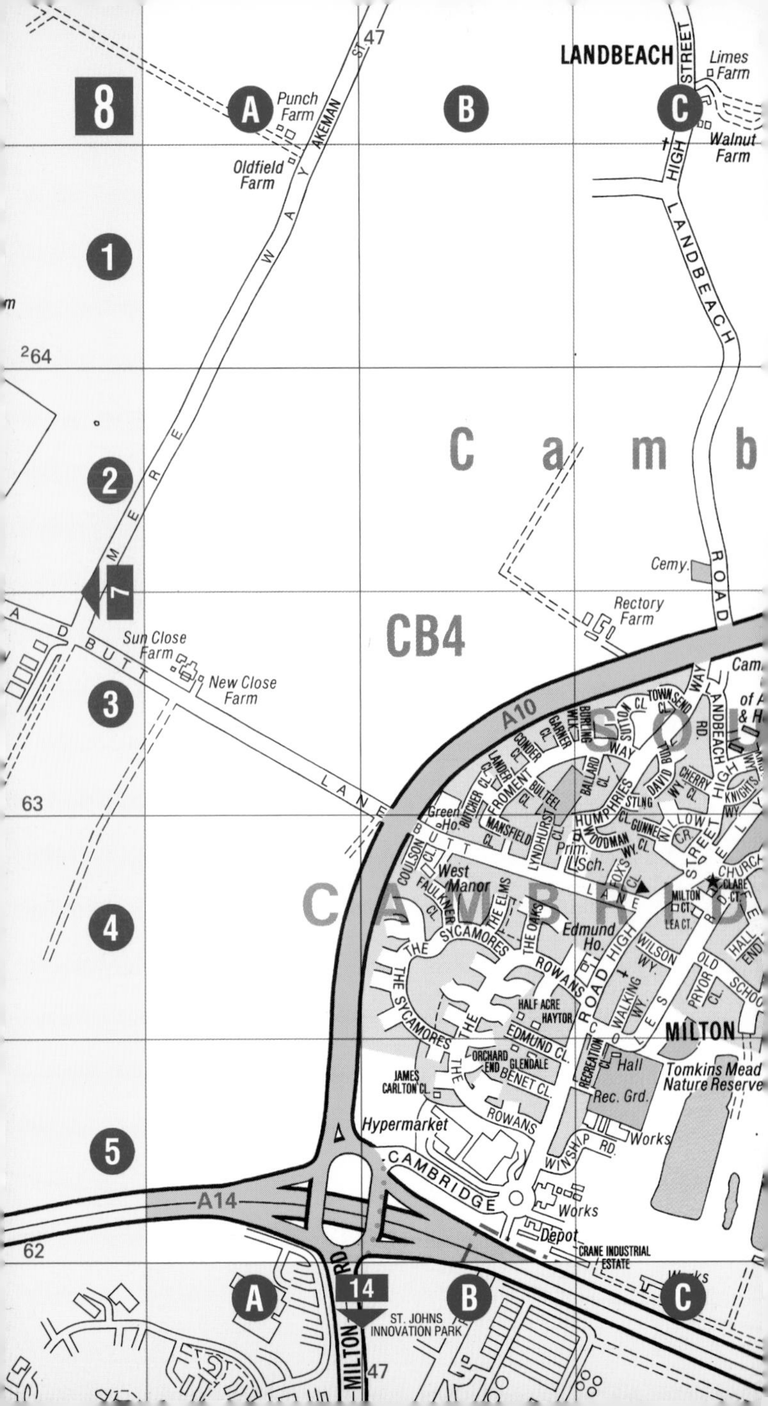

8

A Punch Farm

B

C LANDBEACH

Limes Farm

HIGH STREET

Walnut Farm

Oldfield Farm

ST 47

AKEMAN ST

1

WAY

LANDBEACH

2 ²64

MERE

C a m b

ROAD

7 ▶

ADBUTT

Sun Close Farm

New Close Farm

Cemy.

Rectory Farm

CB4

A10

BUTT LANE

3

4

CAMBRI

Green Ho.

West Manor

Prim. Sch.

The Sycamores

The Sycamores

The Elms

Edmund Ho.

The Rowans

Half Acre
Haytor

The Sycamores

Edmund Cl.

James Carlton Cl.

Orchard End
Glendale
Genet Cl.

The Rowans

Hypermarket

MILTON ROAD

HIGH STREET

WILSON WY.

WALKING WY.

PRYOR CL.

OLD SCHOOL

HALL

CHURCH

CLARE CT.

MILTON

Tomkins Mead Nature Reserve

Recreation

Hall

Rec. Grd.

WINSHIP RD.

Works

Works

Depot

CRANE INDUSTRIAL ESTATE

Works

5 62

A14

CAMBRIDGE

MILTON RD

A

14

ST. JOHNS INNOVATION PARK

B

C

47

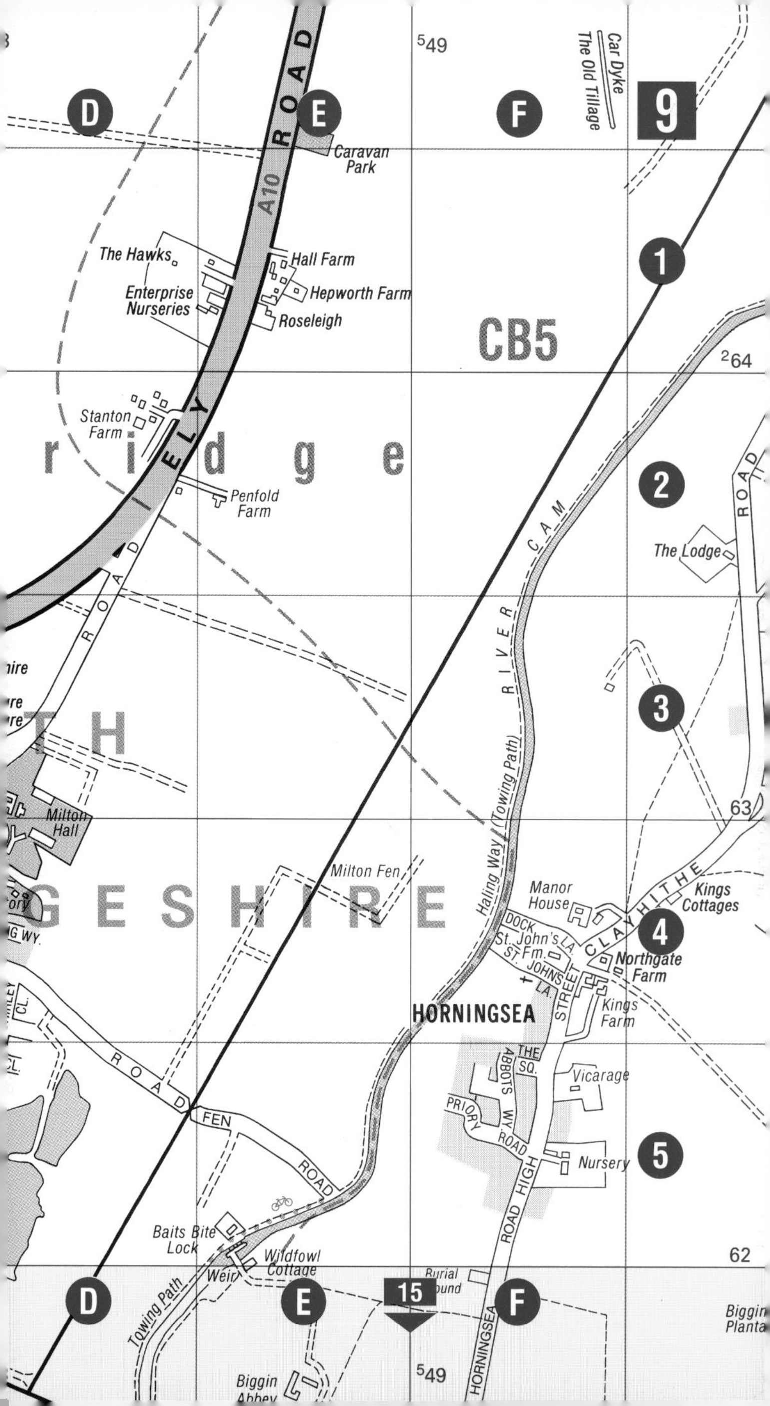

D   **E**   **F**   **9**

⁵49

Car Dyke
The Old Tillage

Caravan Park

A10

ROAD

1

The Hawks

Hall Farm

Hepworth Farm

Enterprise Nurseries

Roseleigh

CB5

²64

Stanton Farm

E L Y

r i d g e

2

ROAD

The Lodge

Penfold Farm

R I V E R   C A M

3

63

Milton Hall

T H

G E S H I R E

Milton Fen

Haling Way (Towing Path)

Manor House

CLAYHITHE

Kings Cottages

4

DOCK St.
St. John's
Fm.

Northgate Farm

ST. JOHN'S
STREET
LA.

HORNINGSEA

Kings Farm

ROAD

FEN

THE SQ.

Vicarage

PRIORY
ABBOTS WY.
ROAD

5

Nursery

ROAD

FEN ROAD

62

Baits Bite Lock

Wildfowl Cottage

Weir

D   **E**   **15**   **F**

Towing Path

Burial Ground

HORNINGSEA

Biggin Planta

Biggin Abbey

⁵49

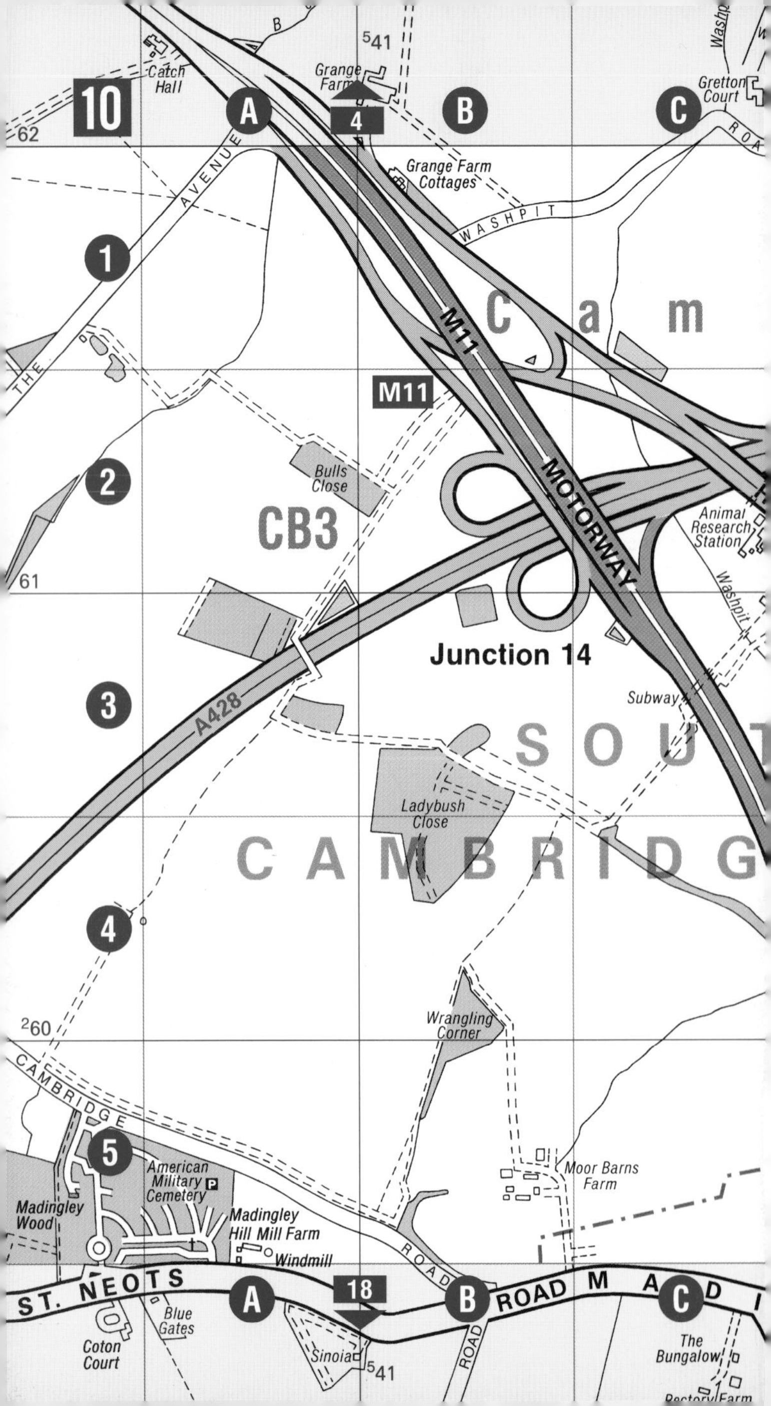

10

62

Catch Hall

Grange Farm

5 41

A

4

B

Gretton Court

C

ROK

Grange Farm Cottages

THE AVENUE

1

WASHPIT

M11

C a m

2

Bulls Close

M11

61

CB3

MOTORWAY

Animal Research Station

Washpit

Junction 14

3

A428

Subway

S O U

C A M B R I D G

Ladybush Close

4

260

CAMBRIDGE

Wrangling Corner

Moor Barns Farm

5

American Military Cemetery P

Madingley Wood

Madingley Hill Mill Farm

Windmill

ROAD

ST. NEOTS

A

18

B

ROAD M A D I

C

Blue Gates

Coton Court

Sinoia

5 41

The Bungalow

Rectory Farm

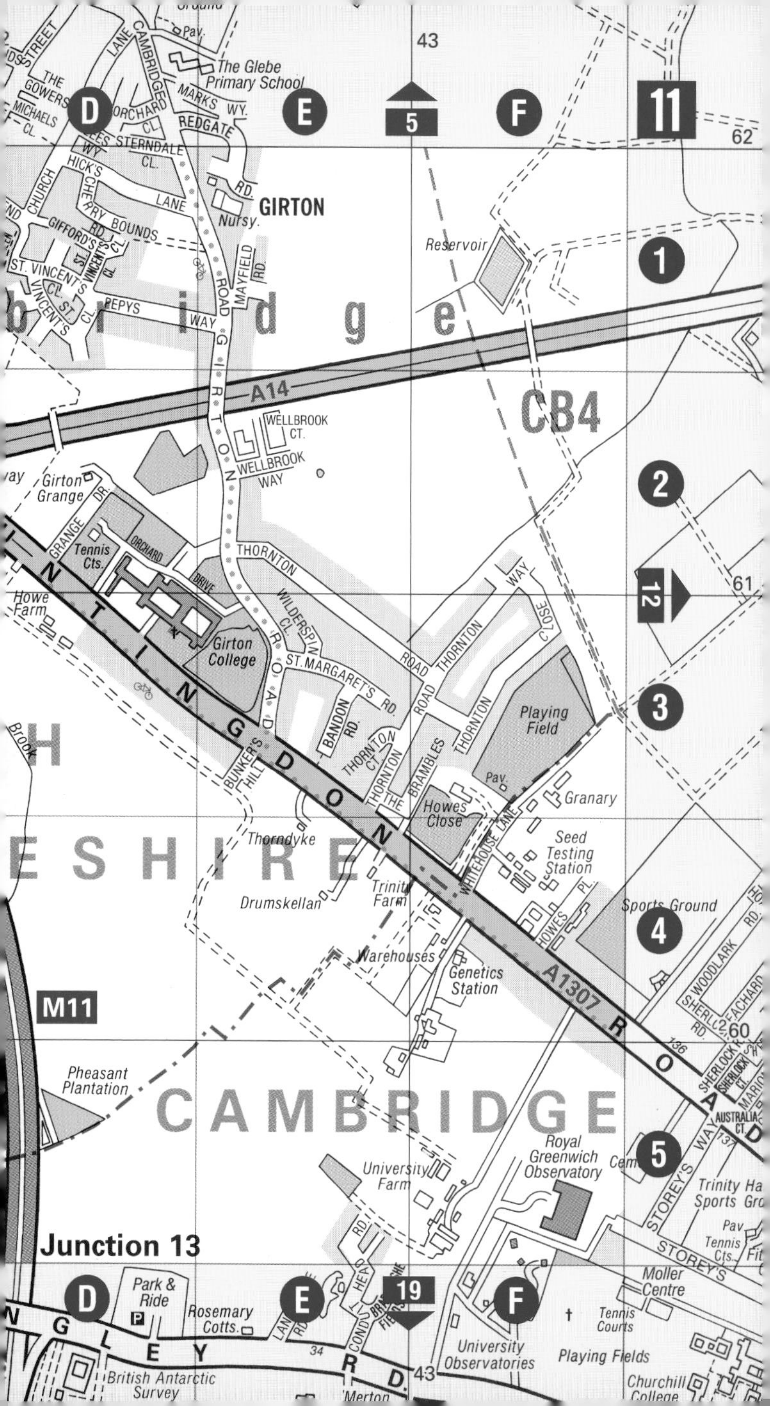

43
D
E
F
5
11
62
The Glebe
Primary School
GIRTON
Nursy.
Reservoir
1
THE GOWERS
MICHAELS CL.
ORCHARD CL.
REDGATE RD.
MARKS WY.
STERNDALE CL.
HICK'S LANE
CHERRY BOUNDS RD.
GIFFORD'S CL.
ST. VINCENT'S CL.
PEPYS WAY
MAYFIELD RD.
GIRTON ROAD
A14
CB4
WELLBROOK CT.
WELLBROOK WAY
Girton Grange
GRANGE DR.
Tennis Cts.
ORCHARD DRIVE
Howe Farm
Girton College
THORNTON ROAD
WILDERSPIN CL.
ST. MARGARET'S RD.
BANDON RD.
THORNTON CT.
THORNTON CLOSE
THORNTON WAY
THE BRAMBLES
Playing Field
Pav.
2
12
61
3
BUNKER'S HILL
HUNTINGDON ROAD
Howes Close
WHITEHOUSE LANE
Granary
Seed Testing Station
HOWES PL.
Thorndyke
Drumskellan
Trinity Farm
Warehouses
Genetics Station
Sports Ground
4
A1307
WOODLARK RD.
SHERLOCK RD.
SHERLOCK CT.
60
136
M11
Pheasant Plantation
CAMBRIDGE
Brook
AUSTRALIA CT.
University Farm
Royal Greenwich Observatory
STOREY'S WAY
5
Trinity Hall Sports Ground
Pav.
Tennis Cts.
Junction 13
Moller Centre
Park & Ride
Rosemary Cotts.
19
Tennis Courts
MADINGLEY RD.
British Antarctic Survey
University Observatories
Playing Fields
Churchill College
Merton
34

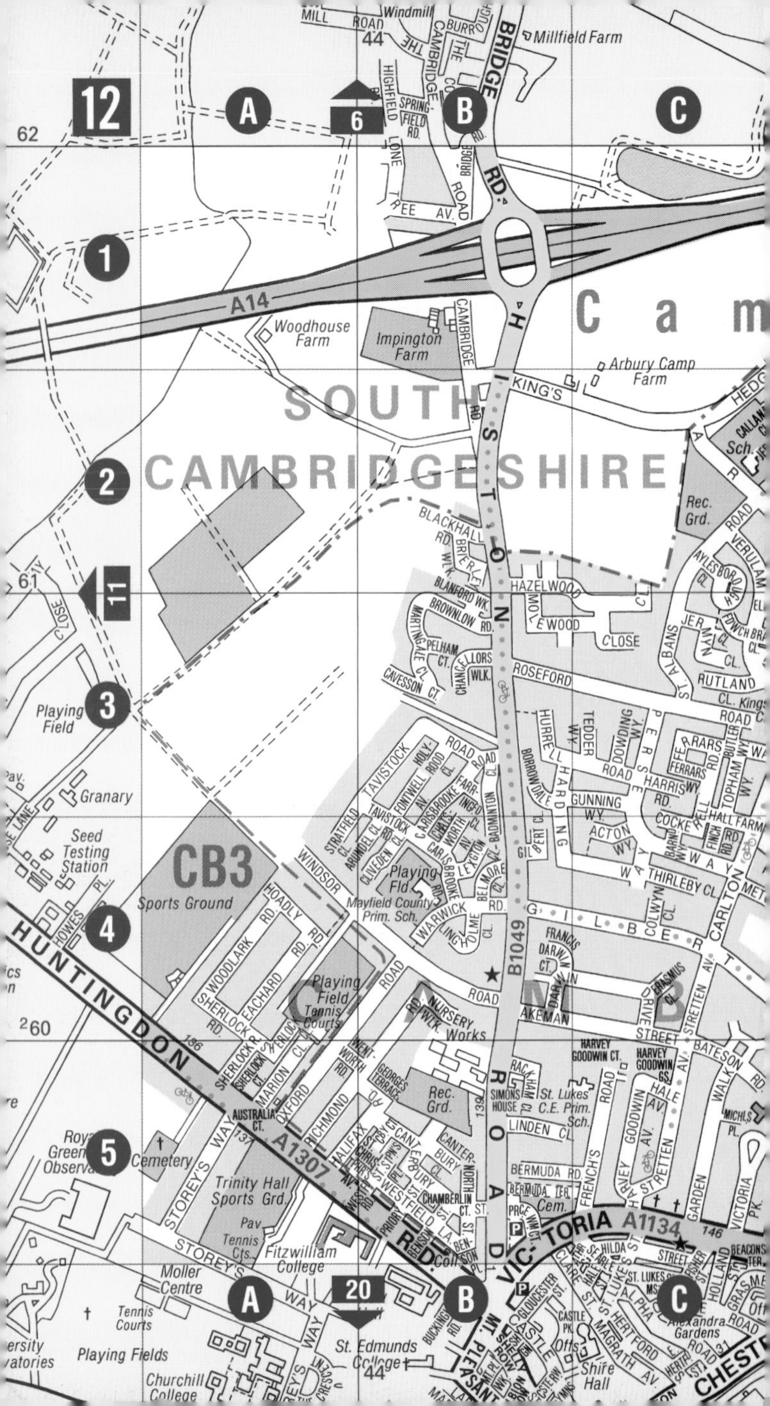
12
A
B
C
6
20
11
1
2
3
4
5
62
61
260
MILL ROAD
Windmill
BURROUGH
THE CAMBRIDGE
Millfield Farm
BRIDGE RD.
HIGHFIELD
SPRINGFIELD RD.
LONE TREE AV.
BRIDGE ROAD
A14
Woodhouse Farm
Impington Farm
CAMBRIDGE RD.
Arbury Camp Farm
KING'S
HISTON ROAD
SOUTH CAMBRIDGESHIRE
Cam
Rec. Grd.
BLACKHALL RD.
BRIERLEY WLK.
BLANFORD WK.
BROWNLOW RD.
MARTINGALE CL.
PELHAM CT.
CHANCELLORS WLK.
CAVESSON CT.
HAZELWOOD CL.
HAZELWOOD CLOSE
ROSEFORD
ST. ALBANS
RUTLAND CL.
Kings
Playing Field
Granary
Seed Testing Station
CB3
Sports Ground
HOWES PL.
HUNTINGDON RD.
A1307
TAVISTOCK ROAD
HOLYROOD CL.
FONTWELL AV.
CARISBROOKE RD.
FARRINGFORD CL.
CHATSWORTH AV.
BADMINTON CL.
LEYCOTE
BELMORE CL.
STRATFIELD CL.
ARUNDEL CL.
CLIVEDEN CL.
Playing Fld.
Mayfield County Prim. Sch.
WARWICK RD.
LINGHOLME CL.
WINDSOR ROAD
HOADLY RD.
WOODLARK RD.
EACHARD RD.
SHERLOCK RD.
Playing Field
Tennis Courts
NURSERY WLK.
Works
B1049
HURRELL RD.
TEDDER WY.
DOWDING WY.
PERSE WAY
FERRARS RD.
FERRARS WY.
BUTLER WY.
TOPHAM WY.
HARRIS RD.
BORROWDALE
HARDING WAY
GUNNING WY.
ACTON WY.
COCKERELL RD.
HALL FARM
FINCH RD.
THIRLEBY CL.
COLWYN CL.
GILBERT CL.
GILBERT RD.
CARLTON WAY
FRANCIS DARWIN CT.
DARWIN
ERASMUS CL.
DRIVE
STRETTEN AV.
AKEMAN STREET
BATESON RD.
HARVEY GOODWIN CT.
HARVEY GOODWIN GS.
HALE AV.
RACKHAM CL.
SIMONS HOUSE
St. Lukes C.E. Prim. Sch.
LINDEN CL.
BERMUDA RD.
BERMUDA TER.
Cem.
FRENCH'S ROAD
GOODWIN AV.
HALE STREET
GARDEN WALK
MICHLS PL.
VICTORIA PK.
Rec. Grd.
GEORGES TERRACE
WENTWORTH RD.
OXFORD RD.
RICHMOND RD.
MARION CL.
SHERLOCK CT.
AUSTRALIA CT.
HALIFAX RD.
CANTERBURY CL.
CANTERBURY ST.
NORTH ST.
CHAMBERLIN CT.
WESTFIELD LA.
PRIORY RD.
BENSON ST.
Collson
Royal Greenwich Observatory
Cemetery
STOREY'S WAY
Trinity Hall Sports Grd.
Pav.
Tennis Cts.
Fitzwilliam College
Moller Centre
Tennis Courts
University Observatories
Playing Fields
St. Edmunds College
Churchill College
VICTORIA RD.
A1134
STREET
ST. LUKES MS.
Alexandra Gardens
HOLLAND ST.
BEACONSFIELD TER.
CASTLE PK.
Offs.
Shire Hall
MAGRATH AV.
HERTFORD ST.
ALPHA RD.
CLARE ST.
ST. LUKES ST.
GLOUCESTER ST.
MT. PLEASANT
BUCKINGHAM RD.
CASTLE ST.
CHESTERTON
44
136
137
139
146

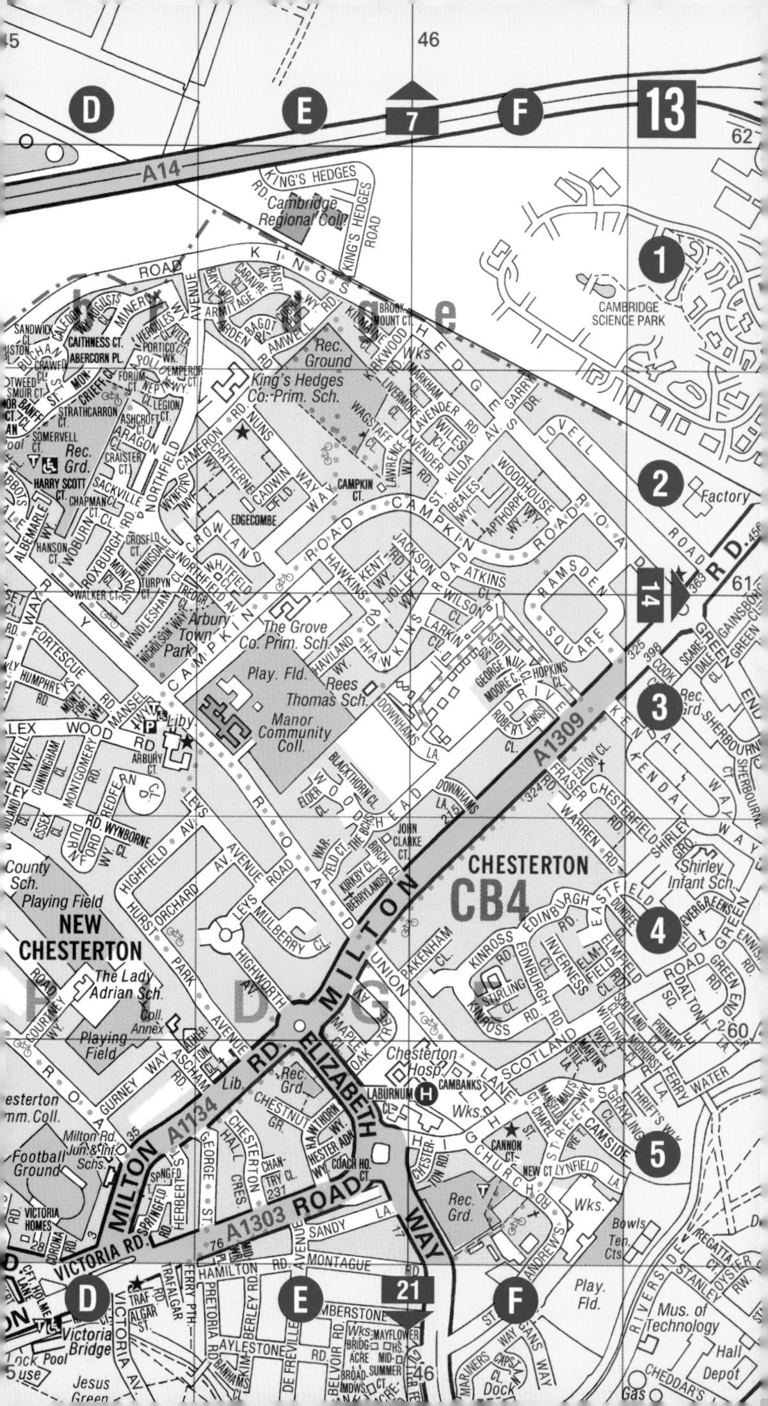
13
46
7
21
D
E
F
1
2
3
4
5
A14
A1309
A1134
A1303 ROAD
KING'S HEDGES RD.
KING'S HEDGES ROAD
Cambridge Regional Coll.
CAMBRIDGE SCIENCE PARK
Factory
Rec. Ground
King's Hedges Co. Prim. Sch.
CAMPKIN ROAD
NUNS WAY
CAMPKIN CT.
LAVENDER RD.
ST. KILDA AV.
GARRY DR.
LOVELL ROAD
WOODHOUSE WY.
APTHORPE WY.
BEALES WY.
RAMSDEN SQUARE
ATKINS CL.
WILSON CL.
LARKIN CL.
JACKSON RD.
KENT WY.
JOLLEY WY.
HAWKINS RD.
HAVILAND WY.
The Grove Co. Prim. Sch.
Play. Fld.
Rees Thomas Sch.
Manor Community Coll.
DOWNHAMS LA.
ARBURY ROAD
Arbury Town Park
NORTHFIELD AV.
CROWLAND WAY
EDGECOMBE
WHITFIELD CL.
Rec. Grd.
HARRY SCOTT CT.
CAITHNESS CT.
ABERCORN PL.
ALEX WOOD RD
ARBURY CT.
Liby.
CHESTERTON
CB4
NEW CHESTERTON
County Sch.
Playing Field
The Lady Adrian Sch.
Coll. Annex
Chesterton Comm. Coll.
Milton Rd. Jun.& Inf. Schs.
Football Ground
MILTON ROAD
MILTON RD.
ELIZABETH WAY
HIGHWORTH AV.
LEYS AVENUE
HURST PARK AVENUE
GURNEY WAY
KENDAL WAY
GREEN END RD.
Shirley Infant Sch.
EDINBURGH RD.
KINROSS RD.
SCOTLAND RD.
Chesterton Hosp.
CAMBANKS
LABURNUM CL.
Wks.
HIGH STREET
CHURCH ST.
CANNON CT.
CAMSIDE
FERRY LA.
WATER ST.
Bowls
Ten. Cts.
Play. Fld.
Mus. of Technology
Hall Depot
VICTORIA RD.
Victoria Bridge
SANDY LA.
MONTAGUE RD.
HAMILTON RD.
AYLESTONE RD.
DE FREVILLE AVENUE
CHESTERTON RD.
Rec. Grd.
STANLEY RD.
RIVERSIDE
Dock
Jesus Green

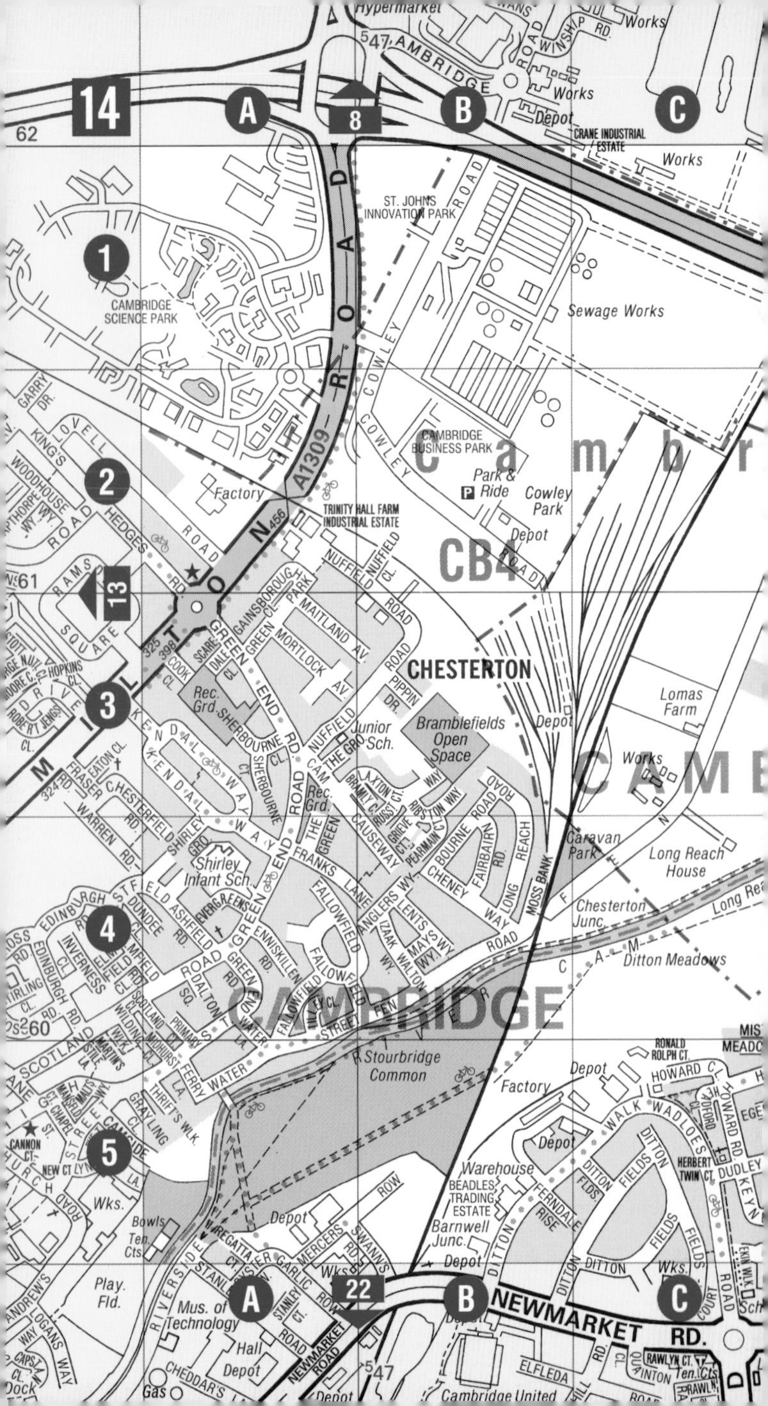
14
8
13
22
A
B
C
1
2
3
4
5
62
61
60
Hypermarket
AMBRIDGE
WINSHIP RD.
Works
Depot
CRANE INDUSTRIAL ESTATE
ST. JOHNS INNOVATION PARK
CAMBRIDGE SCIENCE PARK
Sewage Works
COWLEY ROAD
CAMBRIDGE BUSINESS PARK
Park & Ride
Cowley Park
MILTON ROAD
A1309
Factory
TRINITY HALL FARM INDUSTRIAL ESTATE
NUFFIELD ROAD
CB4
Cambridge
CHESTERTON
Bramblefields Open Space
Junior Sch.
Rec. Grd.
Lomas Farm
Caravan Park
Long Reach House
Chesterton Junc.
Ditton Meadows
MOSS BANK
LONG REACH ROAD
FAIRBAIRN RD.
CHENEY WAY
GREEN END RD.
FRANKS LANE
FALLOWFIELD
KENDAL WAY
SHIRLEY GRO.
Shirley Infant Sch.
CHESTERFIELD RD.
WARREN RD.
HEDGES ROAD
KING'S HEDGES ROAD
RAMSDEN SQUARE
WOODHOUSE WY.
GARRY DR.
LOVELL
SCOTLAND RD.
WATER ST.
FERRY LA.
CAMBRIDGE
RIVER CAM
Stourbridge Common
Factory
HOWARD CL.
RONALD ROLPH CT.
WADLOES WALK
DITTON FIELDS
Warehouse
BEADLES TRADING ESTATE
Barnwell Junc.
FERNDALE RISE
NEWMARKET RD.
NEWMARKET ROAD
Mus. of Technology
RIVERSIDE
REGATTA CT.
STANLEY RD.
GARLIC ROW
MERCERS ROW
SWANN'S RD.
Play. Fld.
Bowls
Ten. Cts
Wks.
CANNON CT.
NEW CT.
CHEDDAR'S LA.
Gas
Hall
Cambridge United
ELFLEDA RD.
QUAINTON CL.
RAWLYN CT.
MIST MEADOWS
HERBERT TWIN CT.
DUDLEY RD.
KEYNES RD.
HOWARD RD.
CHURCH ST.
LOGANS WAY
Long Reach
547

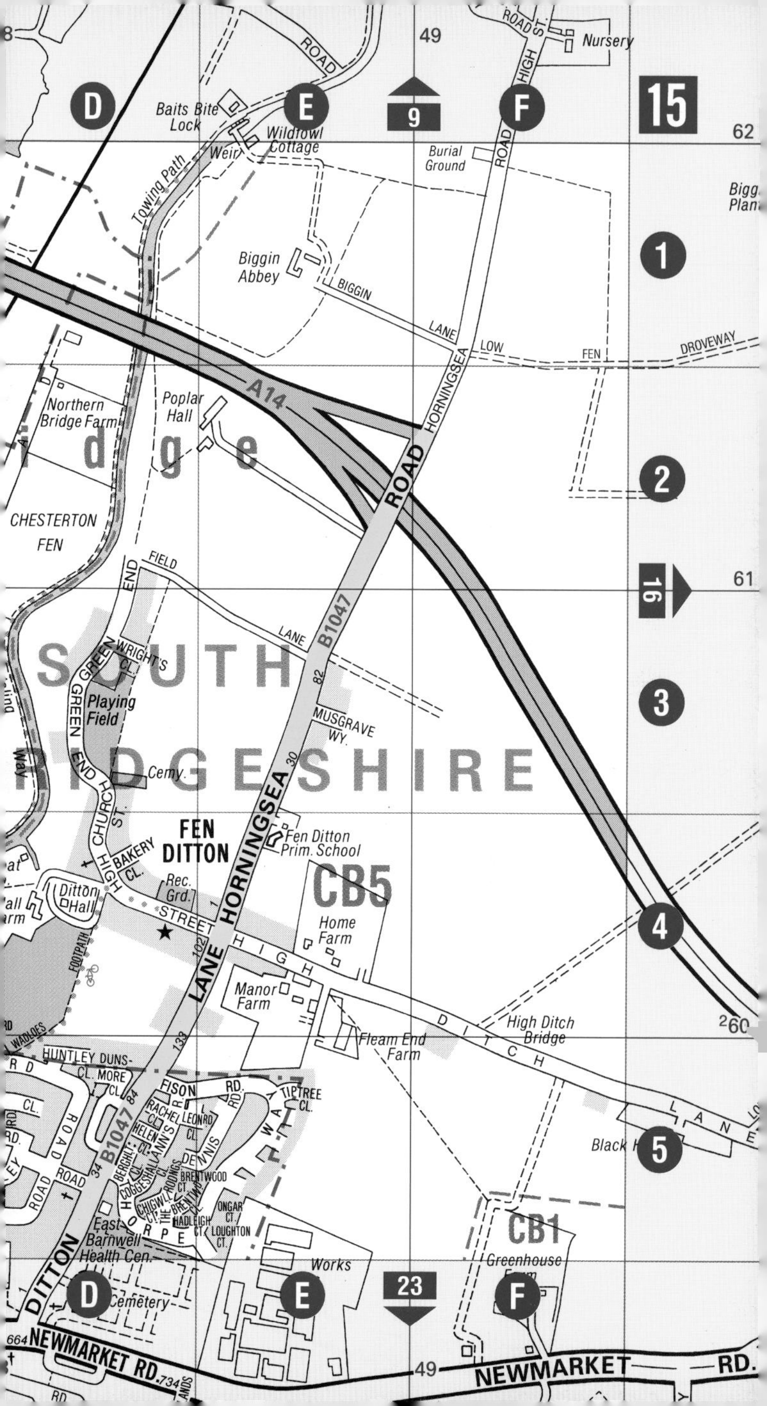

ROAD

ROAD ST.

Nursery

D Baits Bite   **E**   Wildfowl   **9**   **F**   **15**
       Lock   Cottage

HIGH   ROAD   62

Weir   Towing Path   Burial   Bigg.
                       Ground   Plan

Biggin Abbey   BIGGIN   **1**

LANE   LOW   FEN   DROVEWAY

A14   HORNINGSEA

Northern   Poplar   ROAD   **2**
Bridge Farm   Hall

CHESTERTON FEN   FIELD   END   **16**   61

GREEN   LANE   B1047   82   **3**

SOUTH   WRIGHT'S   MUSGRAVE WY.

Playing   GREEN   HORNINGSEA   30
Field   END   Cemy.   IDGESHIRE

CHURCH ST.   HIGH   Fen Ditton   **4**
           BAKERY   Prim. School
FEN   CL.
DITTON   Rec.   **CB5**
Ditton   Grd.
Hall   ★   STREET   Home
                       Farm   DITCH   High Ditch   260
HIGH   Manor   Bridge
Farm   Fleam End   LANE
Farm   **5**
HUNTLEY DUNS.   Black H
MORE CL.   FISON   TIPTREE
RD.   RACHEL   LEONARD   CL.
HELEN   DENNIS   ONGAR   **CB1**
CL.   CL.   BRENTWOOD   CT.   Greenhouse
B1047   THE BROW   LOUGHTON   F
ROAD   HADLEIGH   CT.
East   THORPE   Works   **23**
Barnwell   **E**   **F**
Health Cen.   **D** Cemetery

664   NEWMARKET RD.   .734   49   **NEWMARKET** — **RD.**

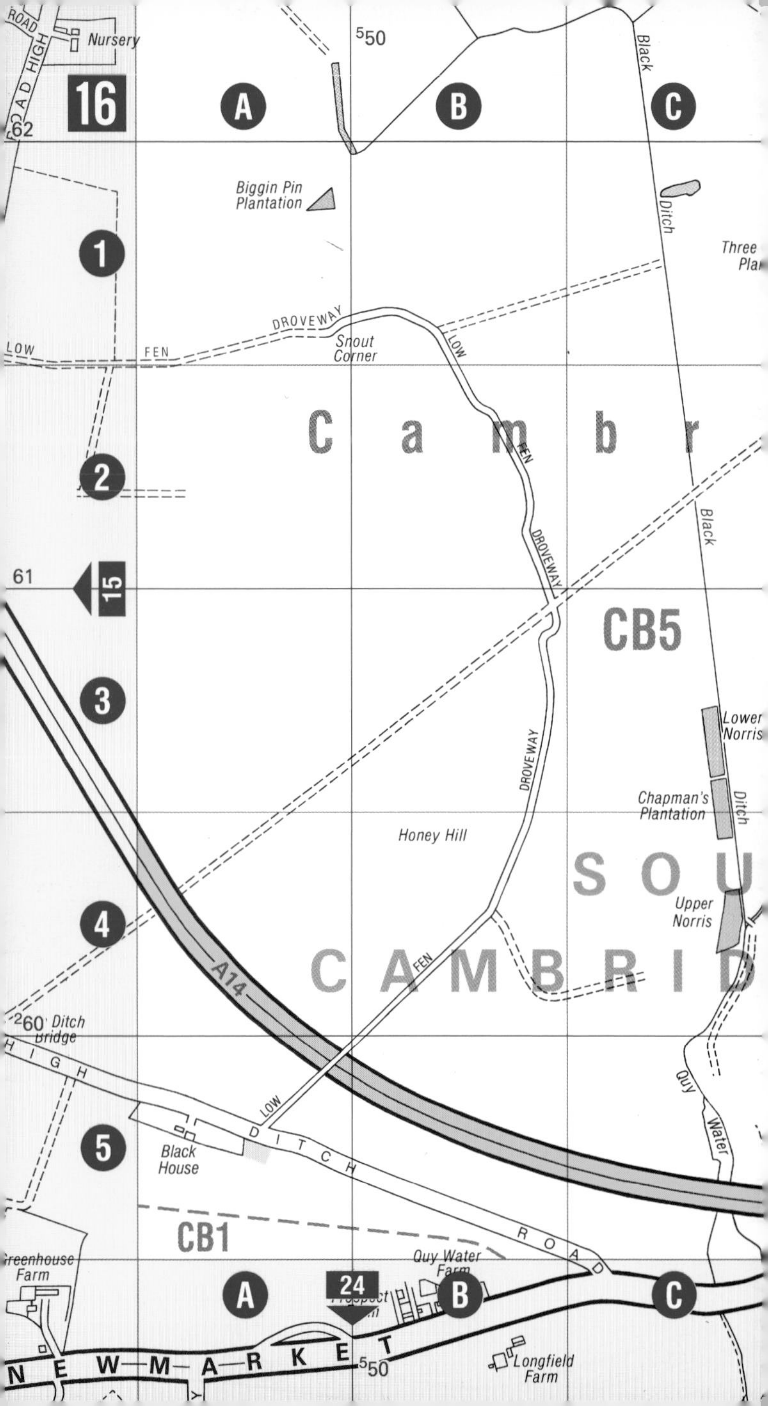

ROAD HIGH

Nursery

16

5 50

Black

Ⓐ

Ⓑ

Ⓒ

62

Biggin Pin
Plantation

Ditch

Three
Pla

❶

DROVEWAY

LOW

FEN

Snout
Corner

LOW

C a m b r

FEN

❷

DROVEWAY

Black

61

◀ **15**

CB5

❸

DROVEWAY

Lower
Norris

Honey Hill

Chapman's
Plantation

Ditch

S O U

Upper
Norris

❹

A14

FEN

C A M B R I D

260 Ditch
Bridge

HIGH

LOW

DITCH

Quy   Water

❺

Black
House

Greenhouse
Farm

CB1

ROAD

Quy Water
Farm

Ⓐ

24

Ⓑ

Ⓒ

Freeport

Longfield
Farm

N E W - M A R K E T

5 50

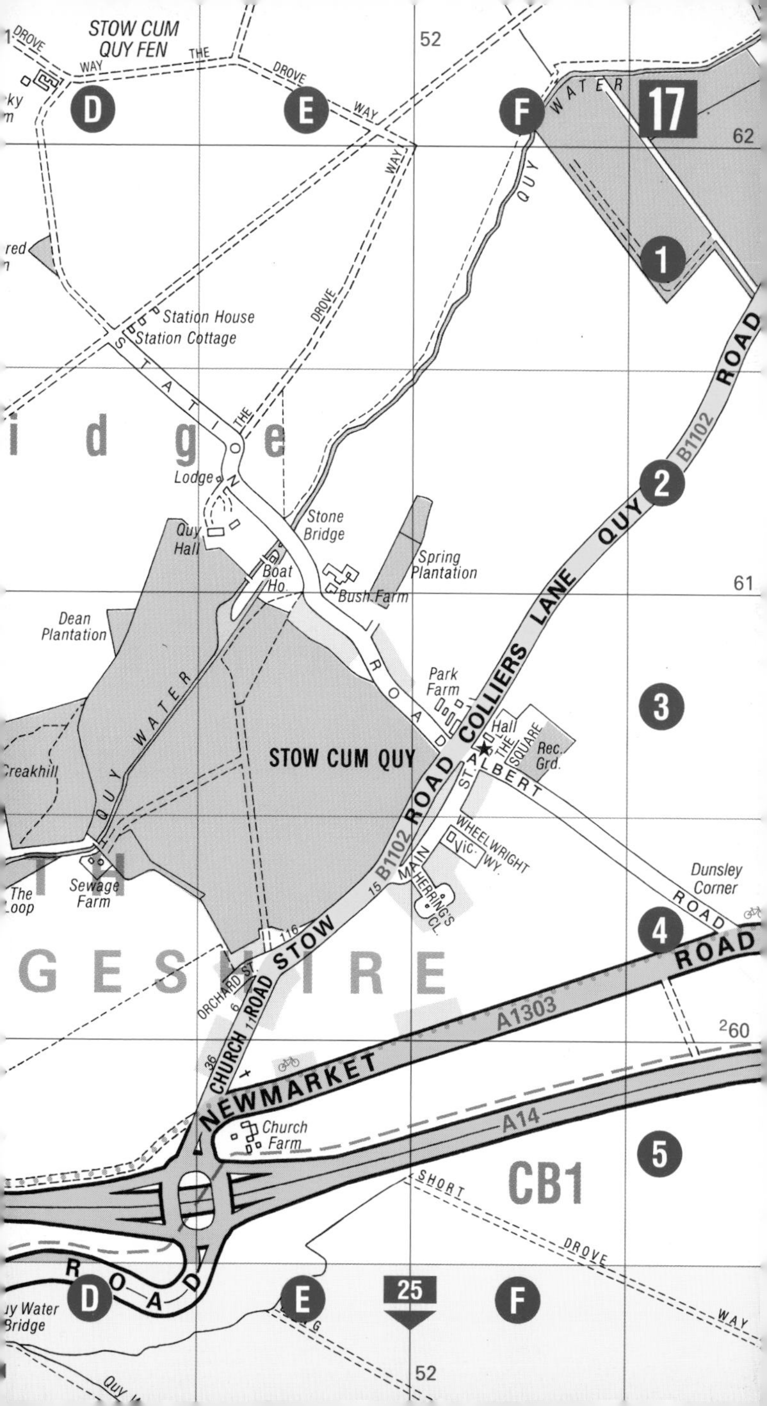
STOW CUM QUY FEN
DROVE
WAY
THE
DROVE
WAY
WAY
DROVE
QUY WATER
17
62
61
60
52
D
E
F
1
2
3
4
5
Station House
Station Cottage
STATION
THE
Lodge
Quy Hall
Stone Bridge
Boat Ho.
Bush Farm
Spring Plantation
Dean Plantation
ROAD
Park Farm
Hall
THE SQUARE
Rec. Grd.
ST. ALBERT
STOW CUM QUY
COLLIERS LANE
QUY ROAD
B1102
Creakhill
QUY WATER
Sewage Farm
The Loop
WHEELWRIGHT WY.
Vic.
MAIN
HERRING'S CL.
Dunsley Corner
ROAD
STOW ROAD
ORCHARD ST.
CHURCH ROAD
NEWMARKET ROAD
A1303
A14
Church Farm
CB1
SHORT DROVE WAY
ROAD
Quy Water Bridge
25
GESHIRE
idge

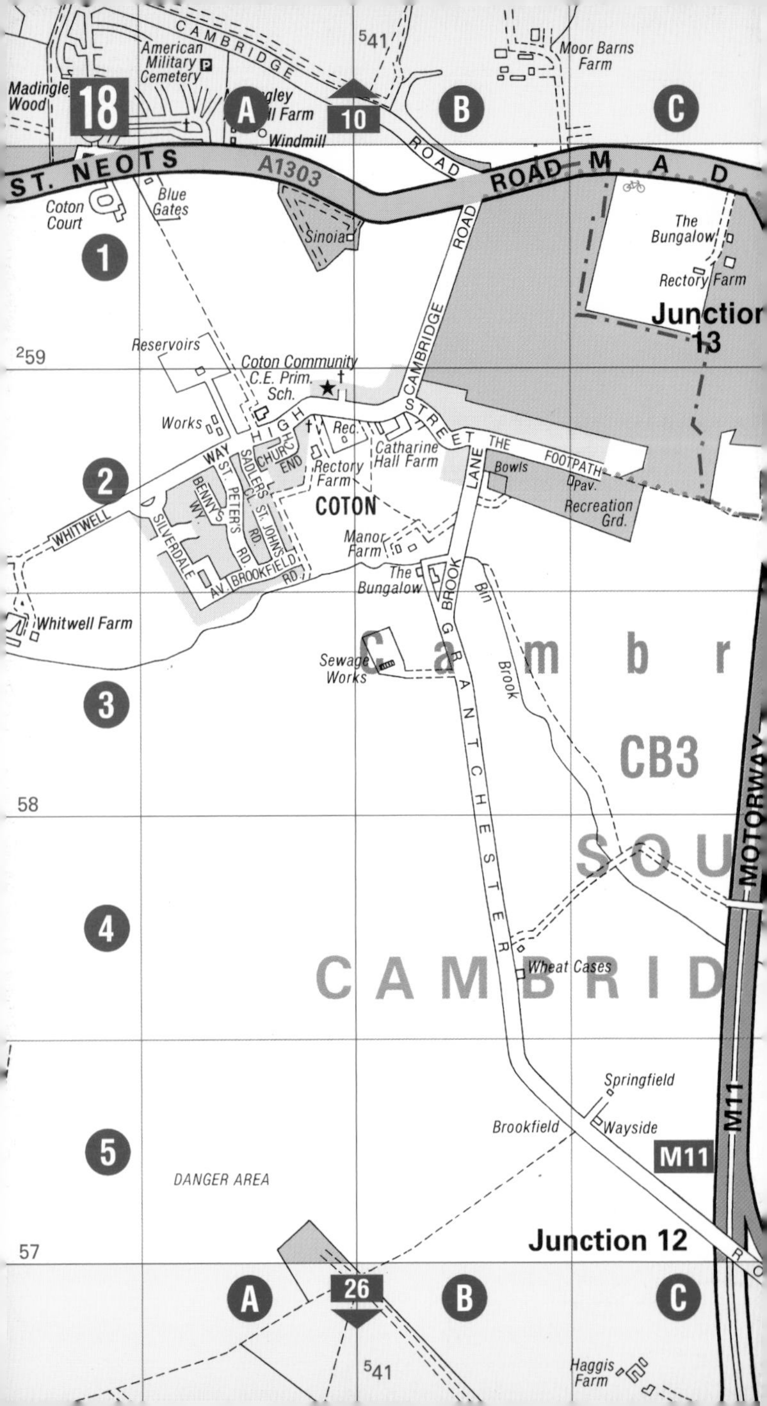
18
10
26
American Military Cemetery
Madingley Wood
Windmill
Moor Barns Farm
CAMBRIDGE ROAD
ST. NEOTS ROAD
A1303
M
A
D
Coton Court
Blue Gates
Sinoia
The Bungalow
Rectory Farm
Junction 13
Reservoirs
Coton Community C.E. Prim. Sch.
Works
HIGH STREET
CHURCH END
Rec.
Catharine Hall Farm
THE FOOTPATH
Bowls
Pav.
Recreation Grd.
Rectory Farm
COTON
WHITWELL WAY
ST. PETER'S RD.
SADLERS CL.
ST. JOHNS RD.
BENNY'S WY.
SILVERDALE AV.
BROOKFIELD RD.
Manor Farm
The Bungalow
BROOK LANE
Whitwell Farm
Sewage Works
GRANTCHESTER R
Bin Brook
Cambr
CB3
SOU
CAMBRID
MOTORWAY
Wheat Cases
Springfield
Brookfield
Wayside
M11
DANGER AREA
Junction 12
Haggis Farm
A
B
C
1
2
3
4
5
259
58
57
541

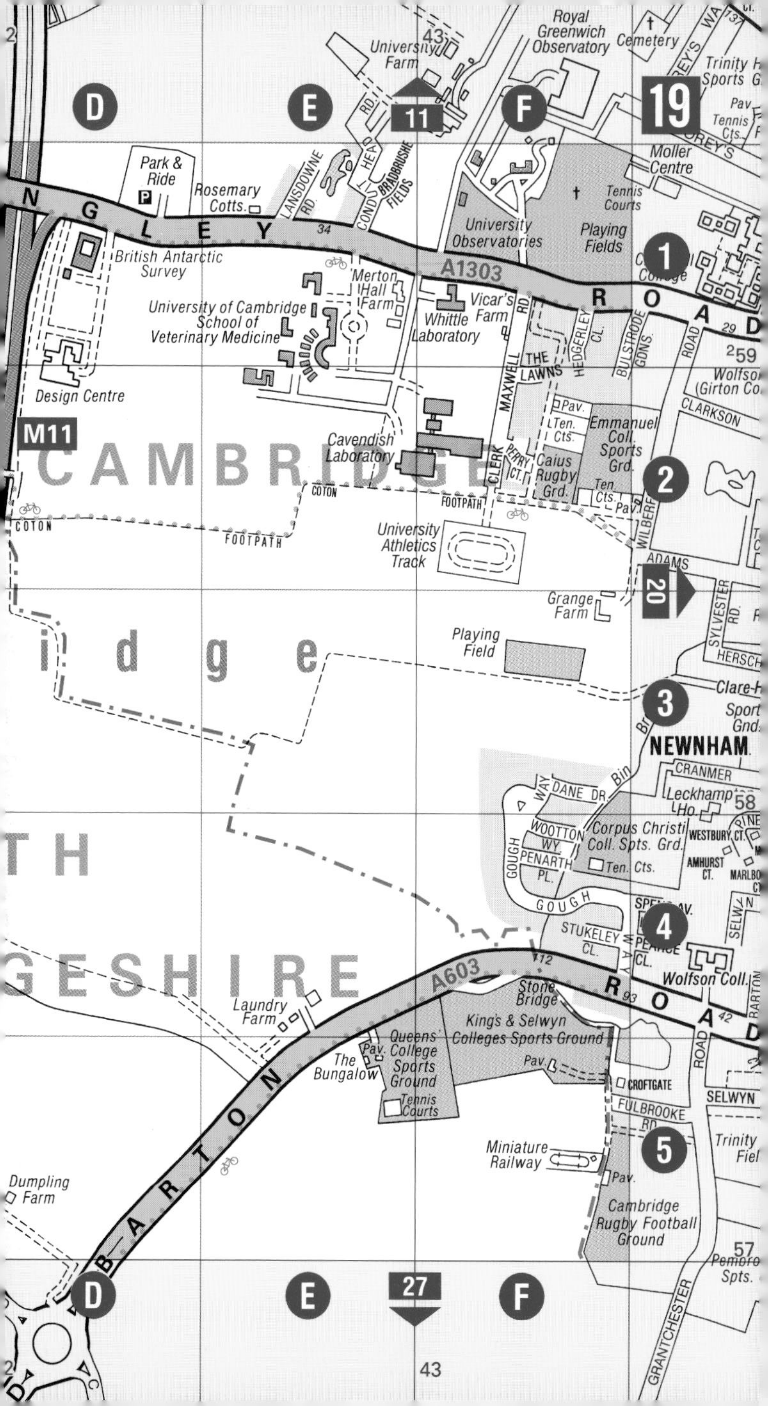

D **E** **11** **F** **19**

Royal Greenwich Observatory
Cemetery
University Farm
43
Trinity H Sports
Pav
BREY'S WAY
Moller Centre
Park & Ride
Rosemary Cotts
LANSDOWNE RD
CONDUIT HEAD RD
BROOKSIDE FIELDS
University Observatories
Tennis Courts
College
Playing Fields

1

NGLEY
34
A1303
ROAD
29
259

British Antarctic Survey
University of Cambridge School of Veterinary Medicine
Merton Hall Farm
Vicar's Farm
Whittle Laboratory
THE LAWNS
MAXWELL RD
HEDERLEY CL.
BILLSTRODE GDNS.
ROAD
Wolfson (Girton Coll.)
CLARKSON

M11
Design Centre
Cavendish Laboratory
CLERK PERRY CT.
Pav.
LTen. Cts.
Emmanuel Coll. Sports Grd.
Caius Rugby Grd.
Ten. Cts.

2
WILBERFORCE

CAMBRIDGE
COTON
FOOTPATH
FOOTPATH
University Athletics Track
ADAMS

COTON
Grange Farm
20
SYLVESTER RD
HERSCH

idge
Playing Field
Clare Sport Gnd.

3
Brk

NEWNHAM
DANE DR
CRANMER
Leckhamp Ho.
58

TH
WY
WOOTTON WY
Corpus Christi Coll. Spts. Grd.
WESTBURY CT.
AMHURST CT.
MARLBO

GESHIRE
GOUGH PL.
PENARTH PL.
Ten. Cts.
SPETI AV.

GOUGH
STUKELEY CL.
PENROE CL.
SELWN

4
Wolfson Coll.
BARTON
A603
ROAD
93
42

Laundry Farm
Stone Bridge
King's & Selwyn Colleges Sports Ground
CROFTGATE
SELWYN

The Bungalow
Pav.
Queens' College Sports Ground
Tennis Courts
Pav.
FULBROOKE RD

Dumpling Farm
Miniature Railway
Pav.

5
Trinity Fiel

Cambridge Rugby Football Ground
57
Pembro Spts.

D **E** **27** **F**

43

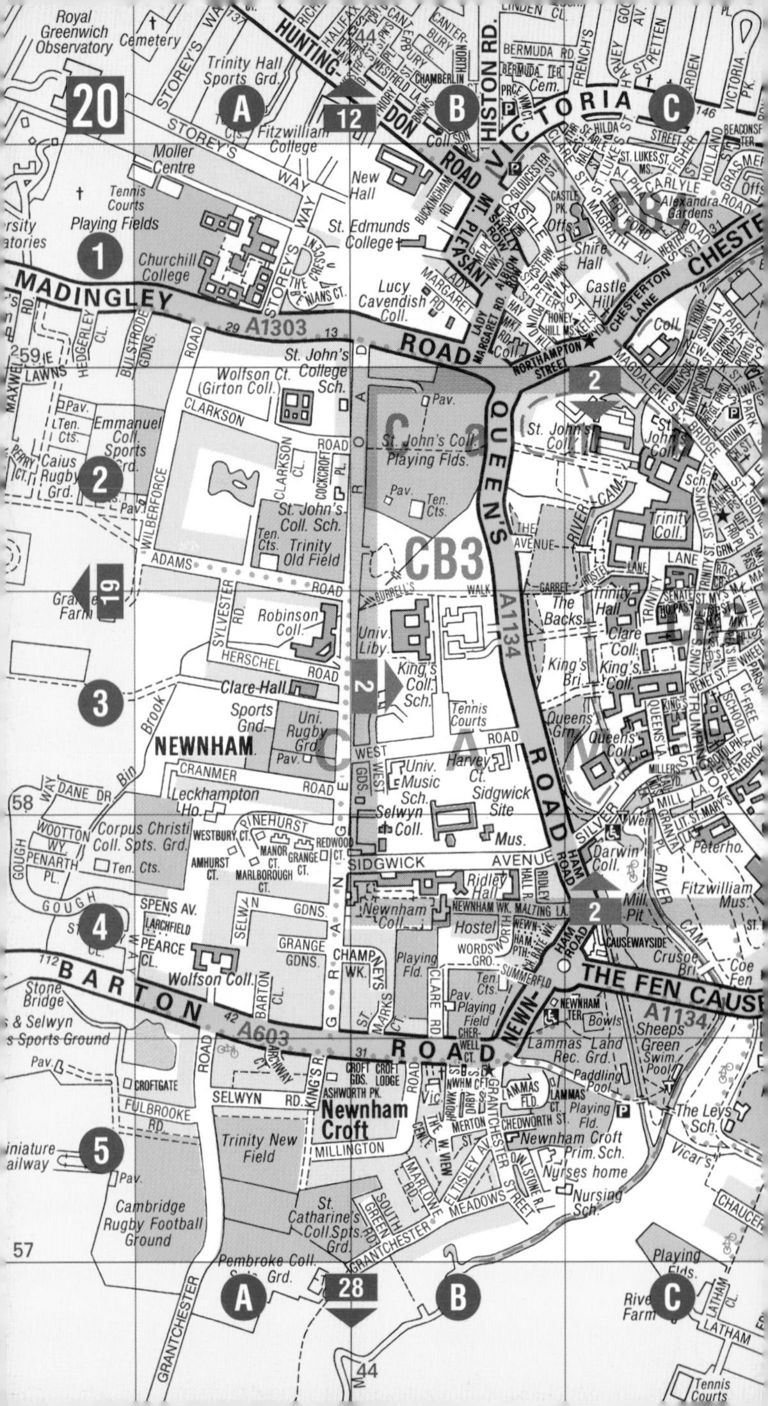
20
Royal Greenwich Observatory
Cemetery
Trinity Hall Sports Grd.
STOREY'S WAY
Fitzwilliam College
HUNTINGDON ROAD
12
HISTON RD.
VICTORIA
BERMUDA RD.
Moller Centre
Tennis Courts
Playing Fields
Churchill College
New Hall
St. Edmunds College
MT. PLEASANT
CASTLE ST.
Shire Hall
Castle Hill
Alexandra Gardens
CHESTERTON LANE
Lucy Cavendish Coll.
MADINGLEY ROAD
A1303
St. John's College Sch.
Wolfson Ct. (Girton Coll.)
CLARKSON RD.
NORTHAMPTON STREET
MAGDALENE ST.
2
St. John's Coll.
St. John's Coll. Playing Flds.
QUEEN'S ROAD
Emmanuel Coll. Sports Grd.
Caius Rugby Grd.
WILBERFORCE RD.
St. John's Coll. Sch.
Trinity Old Field
CB3
Trinity Coll.
ADAMS ROAD
19
Grange Farm
Robinson Coll.
SYLVESTER RD.
HERSCHEL ROAD
Univ. Liby.
King's Coll. Sch.
A1134
The Backs
Trinity Hall
Clare Coll.
King's Coll.
King's Bri.
Clare Hall
Sports Gnd.
Uni. Rugby Grd.
Tennis Courts
NEWNHAM
Queens' Grn.
Queens' Coll.
CRANMER ROAD
Leckhampton Ho.
DANE DR.
Univ. Music Sch.
Harvey Ct.
Sidgwick Site
Selwyn Coll.
Mus.
GRANGE ROAD
Corpus Christi Coll. Spts. Grd.
WOOTTON WY.
PENARTH PL.
GOUGH WAY
SIDGWICK AVENUE
Darwin Coll.
Peterho.
Fitzwilliam Mus.
Ridley Hall
Newnham Coll.
Hostel
Mill Pit
SPENS AV.
PEARCE CL.
Wolfson Coll.
GRANGE GDNS.
Playing Fld.
CAUSEWAYSIDE
Crusoe Bri.
Coe Fen
THE FEN CAUSEWAY
BARTON ROAD
A603
Stone Bridge
Lammas Land Rec. Grd.
Bowls
Sheeps Green Swim. Pool
Paddling Pool
CROFTGATE
SELWYN RD.
FULBROOKE RD.
Newnham Croft
MILLINGTON
Playing Fld.
Newnham Croft Prim. Sch.
Nurses home
Nursing Sch.
The Leys Sch.
Miniature Railway
Trinity New Field
Cambridge Rugby Football Ground
St. Catharine's Coll. Spts. Grd.
GRANTCHESTER MEADOWS
GRANTCHESTER STREET
CHAUCER
Playing Flds.
Pembroke Coll. Spts. Grd.
28
River Farm
LATHAM
Tennis Courts
GRANTCHESTER RD.
A
B
C
1
2
3
4
5
57
58
59
44

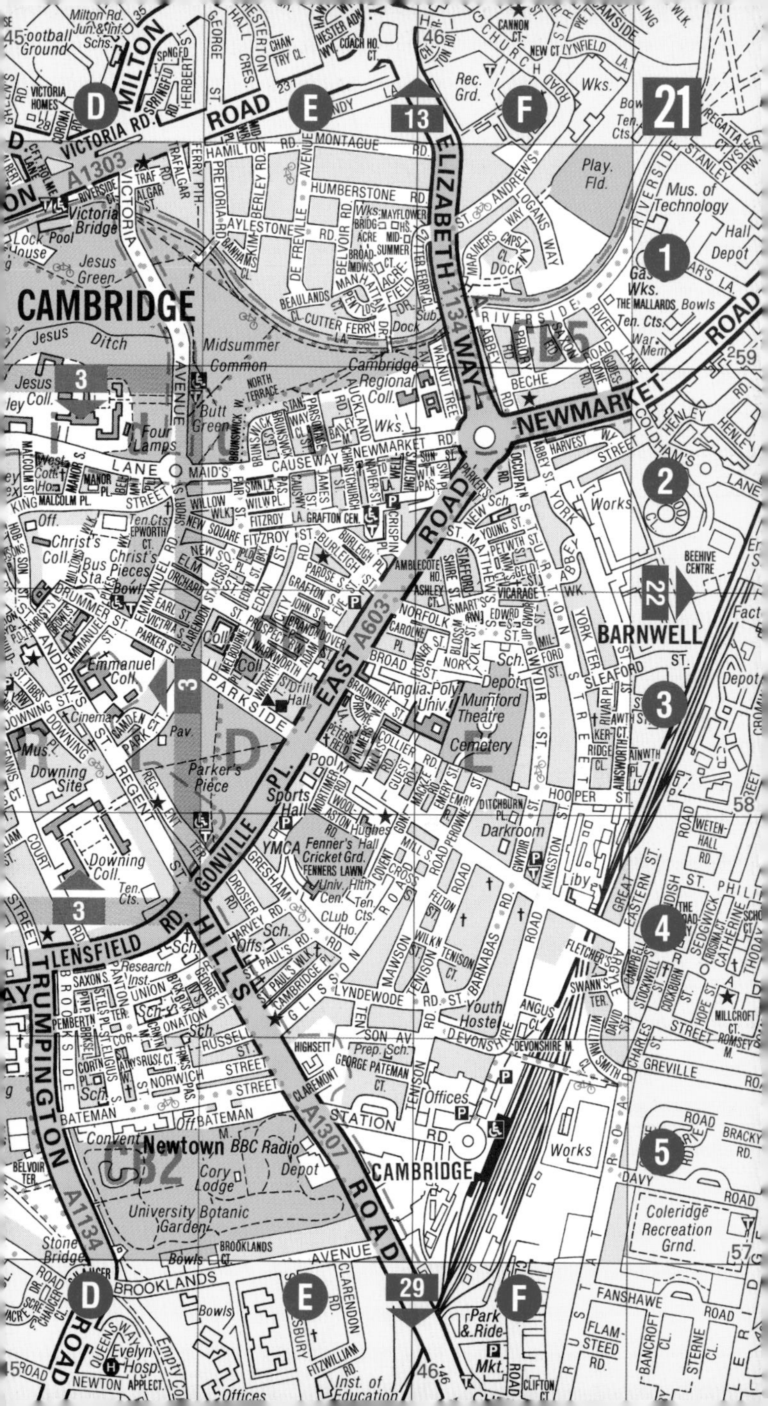

21
CAMBRIDGE
Jesus Green
Midsummer Common
Victoria Bridge
Jesus Ditch
Jesus Coll.
Christ's Coll.
Christ's Pieces
Emmanuel Coll.
Downing Coll.
Downing Site
Parker's Piece
Fenner's Cricket Grd.
Anglia Poly. Univ.
Mumford Theatre
Cemetery
Cambridge Regional Coll.
Mus. of Technology
Play. Fld.
BARNWELL
Newtown
University Botanic Garden
Coleridge Recreation Grnd.
Park & Ride
NEWMARKET ROAD
EAST ROAD
ELIZABETH WAY
HILLS ROAD
TRUMPINGTON ROAD
MILTON ROAD
VICTORIA RD.
LENSFIELD RD.
GONVILLE PL.
A1303
A1134
A603
A1307
CB5
CB2
13
22
29
3
D
E
F
1
2
3
4
5

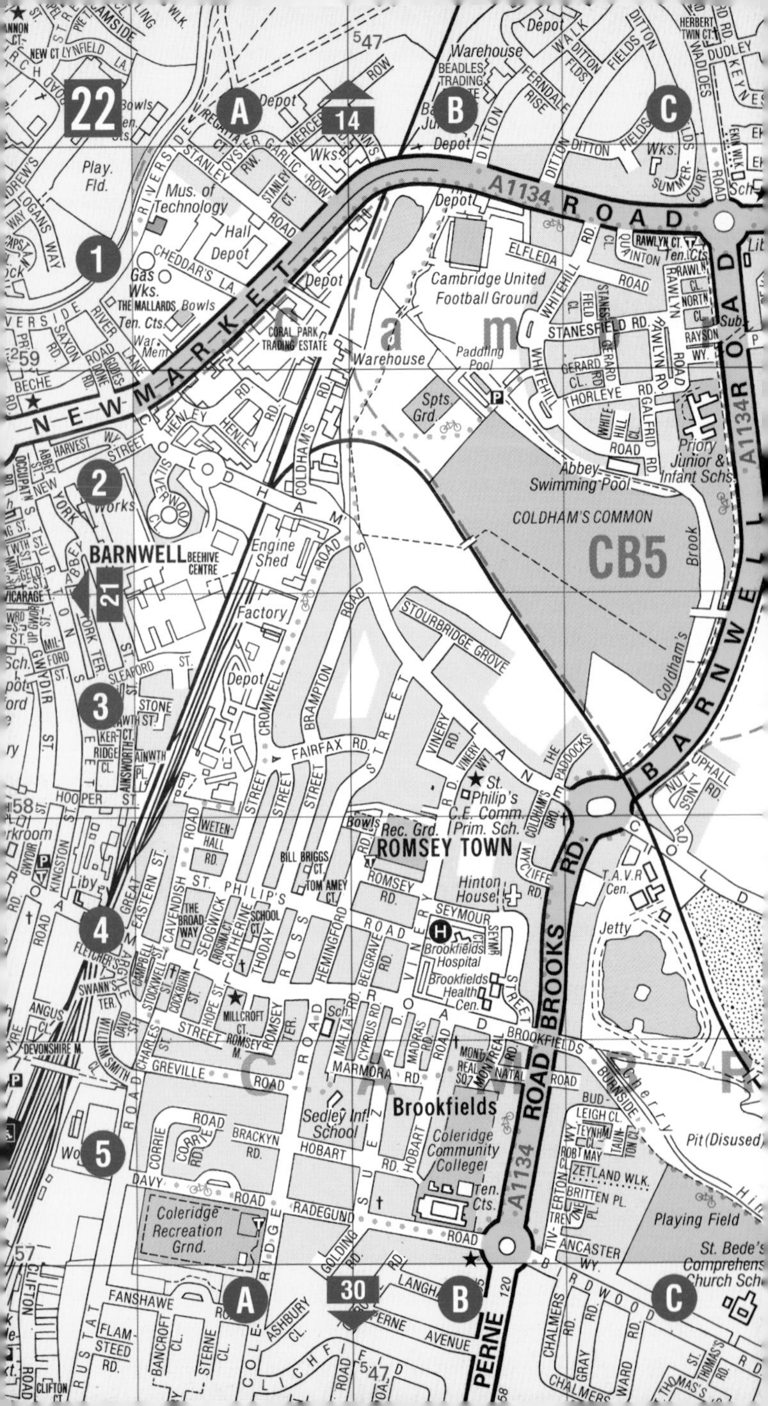
22
14
21
30
A
B
C
1
2
3
4
5
NEWMARKET ROAD
A1134
BARNWELL ROAD
A1134R
BROOKS ROAD
PERNE ROAD
Mus. of Technology
Cambridge United Football Ground
CORAL PARK TRADING ESTATE
BEADLES TRADING ESTATE
Abbey Swimming Pool
COLDHAM'S COMMON
CB5
BARNWELL
BEEHIVE CENTRE
ROMSEY TOWN
St. Philip's C.E. Comm. Prim. Sch.
Brookfields Hospital
Brookfields Health Cen.
Brookfields
Coleridge Community College
Sedley Inf. School
Coleridge Recreation Grnd.
Priory Junior & Infant Schs
Hinton House
T.A.V.R. Cen.
Jetty
Pit (Disused)
Playing Field
St. Bede's Comprehensive Church School
Engine Shed
Factory
Depot
Warehouse
Gas Wks.
Spts. Grd.
Rec. Grd.
Paddling Pool
Play. Fld.
COLDHAM'S LANE
MILL ROAD
CHERRY HINTON ROAD
RIVERSIDE
STANLEY ROAD
CHEDDAR'S LA.
ELFLEDA ROAD
STANESFIELD RD.
WHITEHILL RD.
THORLEYE RD.
RAWLYN RD.
DITTON WALK
DITTON FIELDS
STOURBRIDGE GROVE
VINERY ROAD
THE PADDOCKS
CROMWELL ROAD
BRAMPTON ROAD
FAIRFAX RD.
SUEZ ROAD
HEMINGFORD ROAD
ROMSEY TERR.
ST. PHILIP'S ROAD
CAVENDISH ROAD
SEDGWICK STREET
THODAY STREET
ROSS STREET
MALTA RD.
CYPRUS RD.
MADRAS RD.
GREVILLE ROAD
HOBART RD.
RADEGUND ROAD
DAVY ROAD
CORRIE ROAD
BRACKYN RD.
FANSHAWE ROAD
COLERIDGE ROAD
PERNE AVENUE
LICHFIELD ROAD
BIRDWOOD ROAD
CHALMERS RD.
GRAY ROAD
ANCASTER WY.
ZETLAND WLK.
BRITTEN PL.
BURNSIDE
YORK ST.
GWYDIR ST.
KINGSTON ST.
HOOPER ST.
DEVONSHIRE M.
WILLIAM SMITH CL.
RUSTAT ROAD
CLIFTON ROAD
547
59
58
57

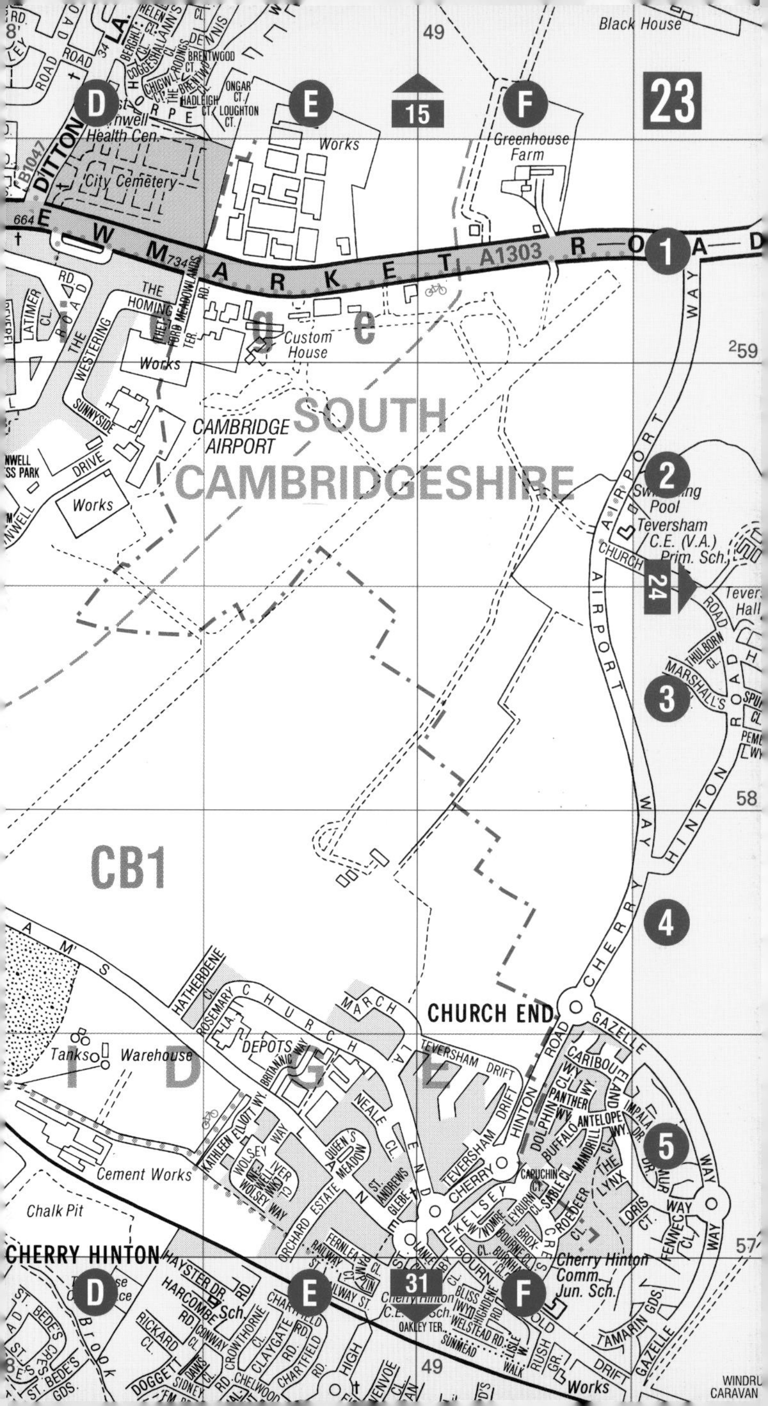

D **E** **F**

49

Black House

15

Greenhouse Farm

D Health Cen.
City Cemetery

DITTON

BIO47

664

W M A R K E T   A1303   R O A D   1

734

THE HOMING

Works

Custom House

259

SOUTH

CAMBRIDGE AIRPORT

CAMBRIDGESHIRE

Swimming Pool
Teversham
(C.E. (V.A.)
Prim. Sch.)

2

CHURCH

AIRPORT

24

Tever. Hall

MARSHALLS

HULBORN

SPUR

PEMB

ROAD

3

58

CB1

WAY

CHERRY

HINTON

ROAD

4

CHURCH END

GAZELLE

Teversham Drift

CARIBOU

IMPALA

PANTHER

DOLPHIN

ANTELOPE

BUFFALO

HATHERDENE

ROSEMARY

CHURCH

MARCH

DEPOTS
Tanks
Warehouse

B R I D G E

BROAD WAY

NEALE

CLOSE

KATHLEEN ELLIOTT WY.
WOLSEY WAY
IVER WAY
WOLSEY WAY

ORCHARD ESTATE

QUEEN'S MEADOW

ST. ANDREWS

GLEBE

CLOSE

Cement Works

Chalk Pit

Cherry Hinton
C.E.C. Sch.

MANDRILL

CAPUCHIN

THE LYNX

LORIS CT.

FENNECK

WAY

Cherry Hinton
Comm.
Jun. Sch.

5

57

CHERRY HINTON

D **E** **31** **F**

TEVERSHAM DRIFT

HINTON

TEVERSHAM

CHERRY

KELSEY

FULBOURN

RAILWAY

FERN LEAS

HAYSTER DR.

HARCOMBE

BICKARD

DOGGETT

SIDNEY

CROWTHORNE

CLAYGATE

CHARTFIELD

CHELWOOD

ST. BEDE'S
GDNS.

VENUE

HIGH

OAKLEY TER.

WELSTEAD RD.

SUNREAD

TAMARIN

GAZELLE GDNS.

OLD

DRIFT

RUSH

Works

WINDRUSH
CARAVAN

49

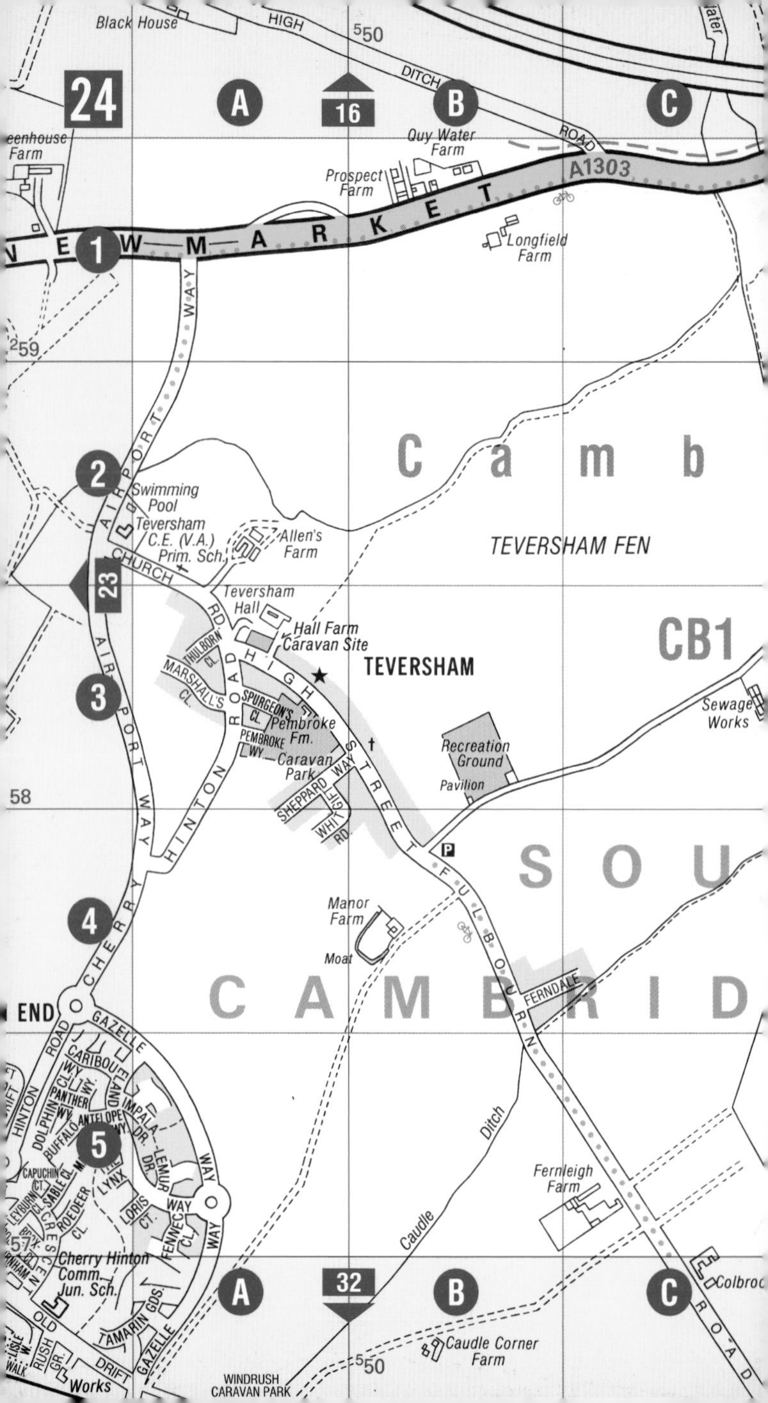
Black House
HIGH DITCH ROAD
550
16
A
B
C
Quy Water Farm
eenhouse Farm
Prospect Farm
A1303
NEWMARKET
Longfield Farm
1
WAY
259
AIRPORT
2
Swimming Pool
Teversham C.E. (V.A.) Prim. Sch.
Allen's Farm
C a m b
TEVERSHAM FEN
CHURCH
23
Teversham Hall
RD.
Hall Farm Caravan Site
CB1
THULBORN CL.
MARSHALL'S CL.
HIGH
TEVERSHAM
3
AIRPORT WAY
ROAD
SPURGEON'S CL.
Pembroke Fm.
PEMBROKE WY.
Caravan Park
SHEPPARD WAY
WHITGIFT RD.
STREET
Recreation Ground
Pavilion
Sewage Works
58
HINTON
CHERRY
P
S O U
FULBOURN
Manor Farm
Moat
4
C A M B R I D
FERNDALE
END
GAZELLE
ROAD
CARIBOU WY.
ELAND WY.
PANTHER CL.
PANTHER WY.
HINTON
DOLPHIN
ANTELOPE WY.
IMPALA DR.
BUFFALO
5
LEMUR DR.
WAY
Ditch
Caudle
CAPUCHIN CT.
SABLE CL.
LYNX
ROEDEER CL.
LEYBURN CL.
LORIS CT.
FENNEC CL.
WAY
Fernleigh Farm
CRESCENT
57
Cherry Hinton Comm. Jun. Sch.
TAMARIN GDS.
GAZELLE
OLD
32
A
B
C
Colbrod
ROAD
DRIFT
RUSH GR.
WALK
Works
Caudle Corner Farm
550
WINDRUSH CARAVAN PARK

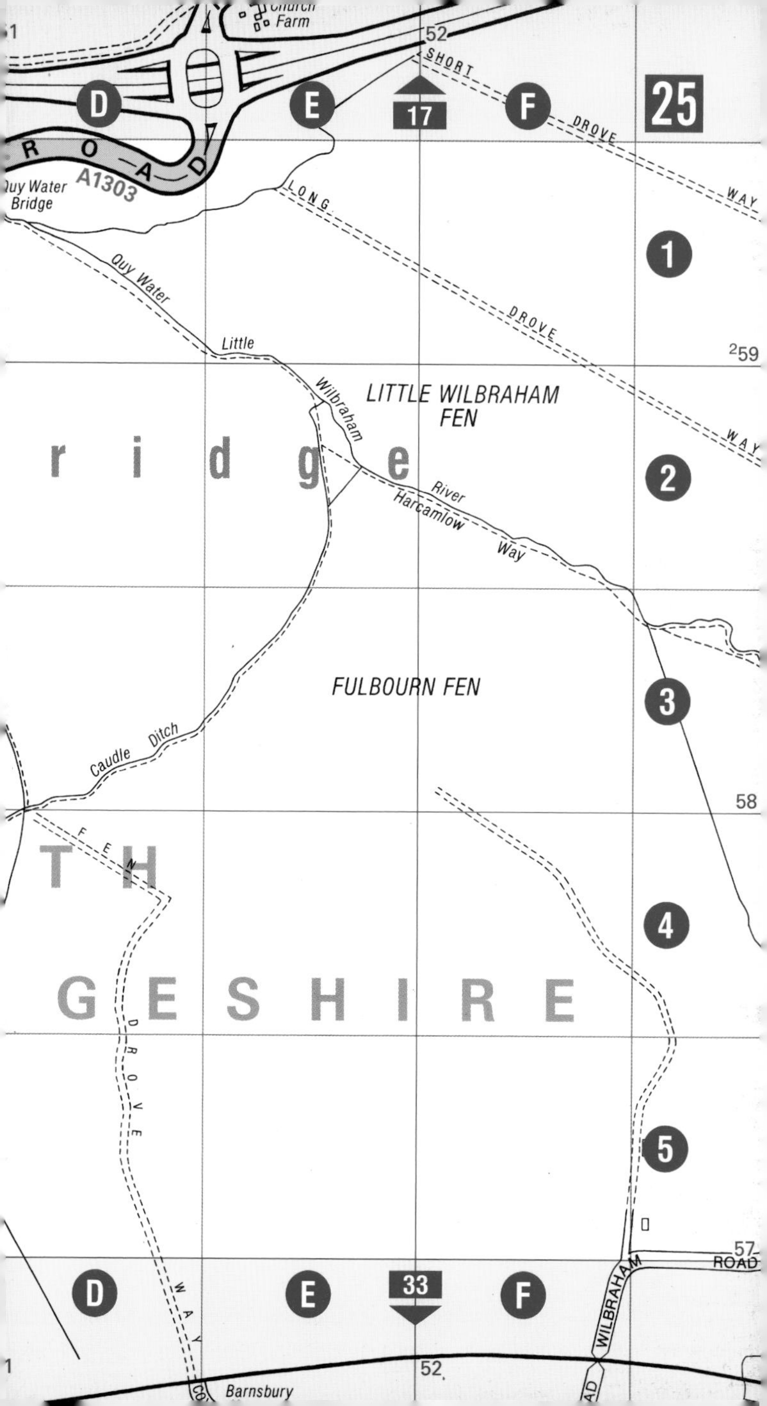

Church
Farm

52

D

SHORT

E

▲
17

F

DROVE

25

Quy Water
Bridge

R O A D

A1303

Quy Water

LONG

WAY

1

²59

Little

Wilbraham

LITTLE WILBRAHAM
FEN

DROVE

WAY

r i d g e

River

Harcamlow

Way

2

FULBOURN FEN

3

Caudle Ditch

58

F E N

T H

4

G E S H I R E

D R O V E

5

W A Y

WILBRAHAM

57
ROAD

D

E

▼
33

F

52.

Barnsbury

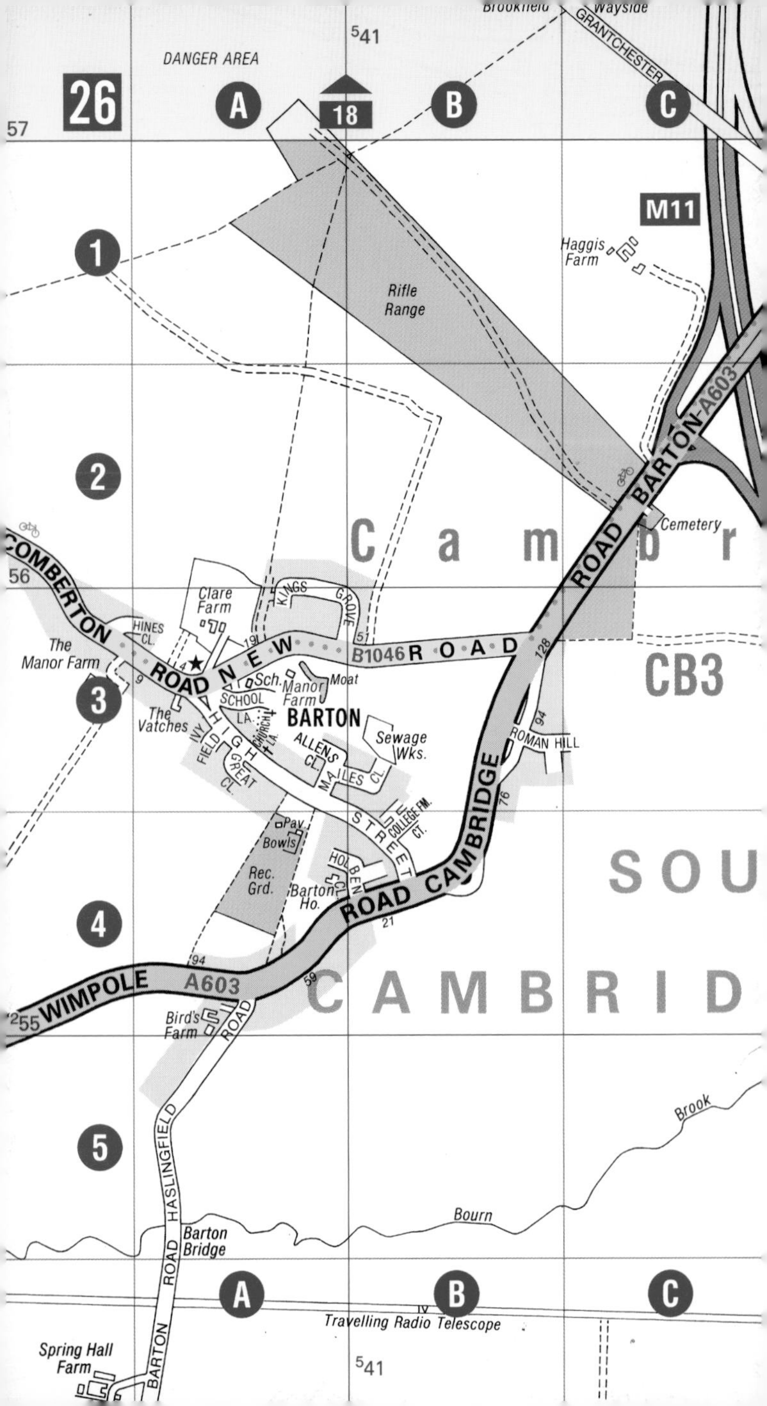

Brookfield Wayside
GRANTCHESTER

❶

Rifle Range

M11

Haggis Farm

❷

C a m b r

COMBERTON

56

Clare Farm

KINGS GROVE

⁵¹

B1046 R O A D

128

CB3

BARTON ROAD A603

Cemetery

The Manor Farm

HINES CL.

ROAD N E W

★

Sch.

Moat

Manor Farm

❸

The Vatches

SCHOOL LA.

IVY

FIELD

CL.

GREAT

BARTON

ALLENS CL.

M ILES CL.

Sewage Wks.

ROMAN HILL

94

ROAD CAMBRIDGE

76

S O U

S T R E E T

COLLEGE FM. CT.

Pay

Bowls

Rec. Grd.

HOLBEN

Barton Ho.

21

❹

WIMPOLE A603

ROAD

⁵⁹

C A M B R I D

²55

Bird's Farm

Brook

❺

BARTON ROAD HASLINGFIELD

Barton Bridge

Bourn

Spring Hall Farm

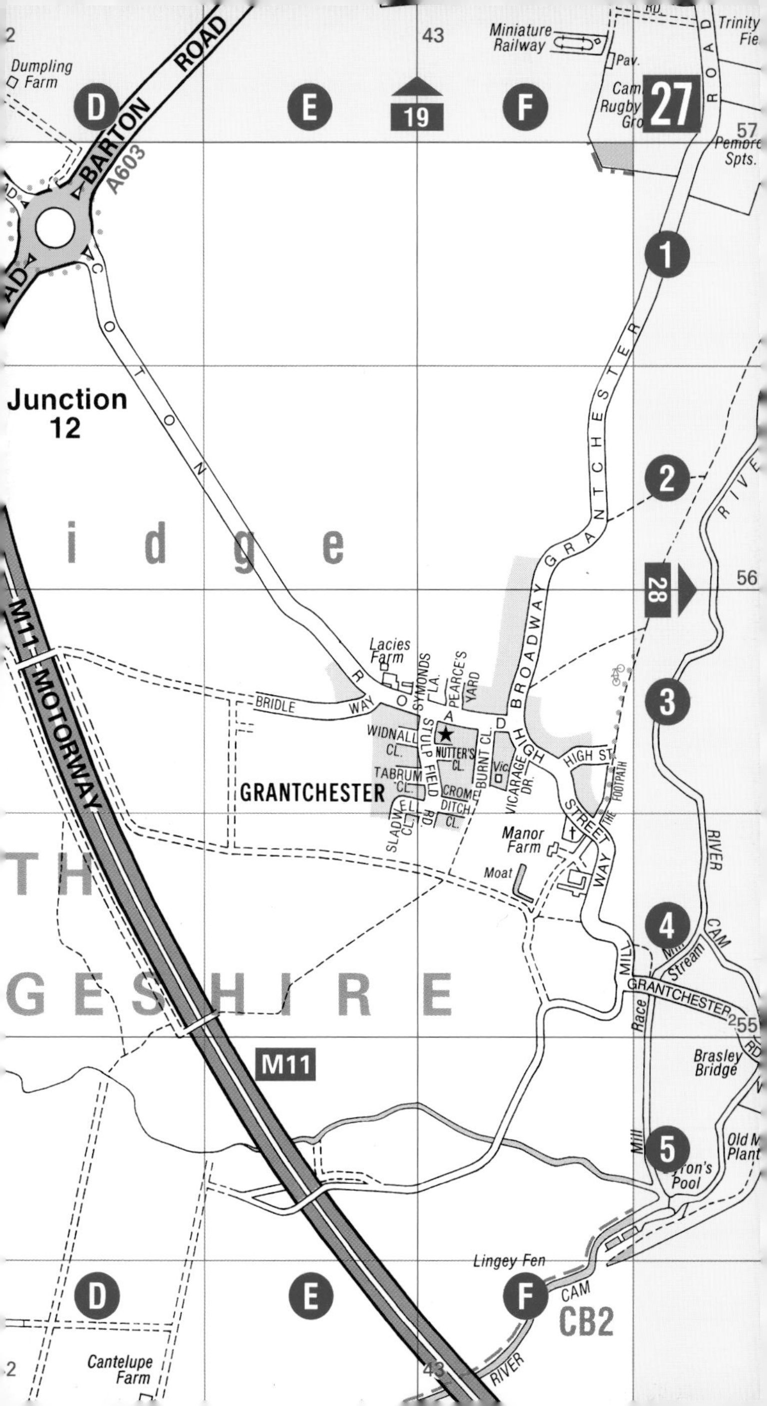

27
Dumpling Farm
Miniature Railway
Pav.
Trinity
Camb. Rugby Gro
Pemore Spts.
BARTON ROAD
A603
COTON ROAD
Junction 12
M11 MOTORWAY
M11
BRIDLE WAY
Lacies Farm
SYMONDS LA.
PEARCE'S YARD
BROADWAY
GRANTCHESTER
WIDNALL CL.
STULP FIELD RD.
NUTTER'S CL.
BURNT CL.
TABRUM CL.
CROME DITCH CL.
SLADWELL CL.
VICARAGE DR.
Vic.
HIGH ST.
HIGH STREET
THE FOOTPATH
WAY
Manor Farm
Moat
MILL WAY
GRANTCHESTER RD.
Mill Stream
Mill Race
RIVER CAM
Brasley Bridge
Byron's Pool
Old Mill Plant
Lingey Fen
Cantelupe Farm
CB2
THE ... GESHIRE
idge
19
28
43
56
57
55

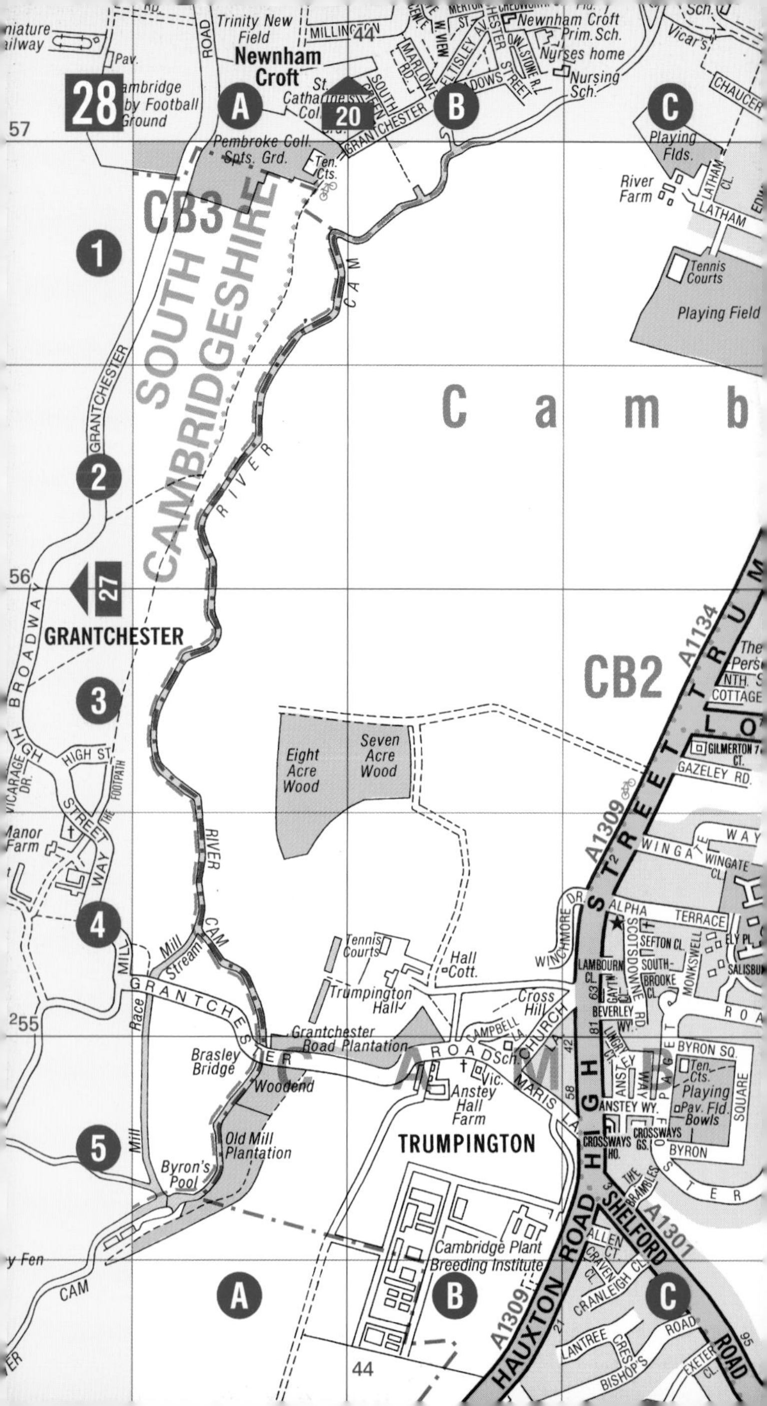

28
Newnham Croft
Trinity New Field
Cambridge Rugby Football Ground
Pembroke Coll. Spts. Grd.
St. Catharine's Coll.
Newnham Croft Prim. Sch.
Nurses home
Nursing Sch.
20
GRANTCHESTER
MILLINGTON
SOUTH GREEN
MARLOWE RD.
ELTISLEY AV.
CHAUCER
Playing Flds.
River Farm
LATHAM
LATHAM CL.
Tennis Courts
Playing Field
CB3
SOUTH CAMBRIDGESHIRE
RIVER CAM
C a m b
27
GRANTCHESTER
BROADWAY
HIGH ST
VICARAGE DR.
Manor Farm
Mill Stream
Mill Race
Eight Acre Wood
Seven Acre Wood
CB2
A1134
TRUMPINGTON STREET
A1309
GILMERTON CT.
GAZELEY RD.
WINGATE WAY
WINGATE CL.
ALPHA TERRACE
WINCHMORE DR.
SEFTON CL.
LAMBOURN CL.
SCOTSDOWNE RD.
SOUTHBROOKE CL.
MONKSWELL
BEVERLEY WY.
Tennis Courts
Hall Cott.
Trumpington Hall
Cross Hill
CHURCH LA.
CAMPBELL LA.
Grantchester Road Plantation
GRANTCHESTER ROAD
Brasley Bridge
Woodend
Sch.
Vic.
Anstey Hall Farm
MARIS LA.
ANSTEY WAY
ANSTEY WY.
BYRON SQ.
Ten. Cts.
Playing Fld.
Pav.
Bowls
SQUARE
CROSSWAYS HO.
CROSSWAYS GS.
BYRON
Old Mill Plantation
Byron's Pool
TRUMPINGTON
THE BRAMBLES
SHELFORD ROAD
A1301
Cambridge Plant Breeding Institute
HIGH ST
HAUXTON ROAD
ALLEN CT.
CRAVEN CL.
CRANLEIGH CL.
LANTREE CRES.
BISHOP'S ROAD
EXETER CL.
CAM
44
57
56
55

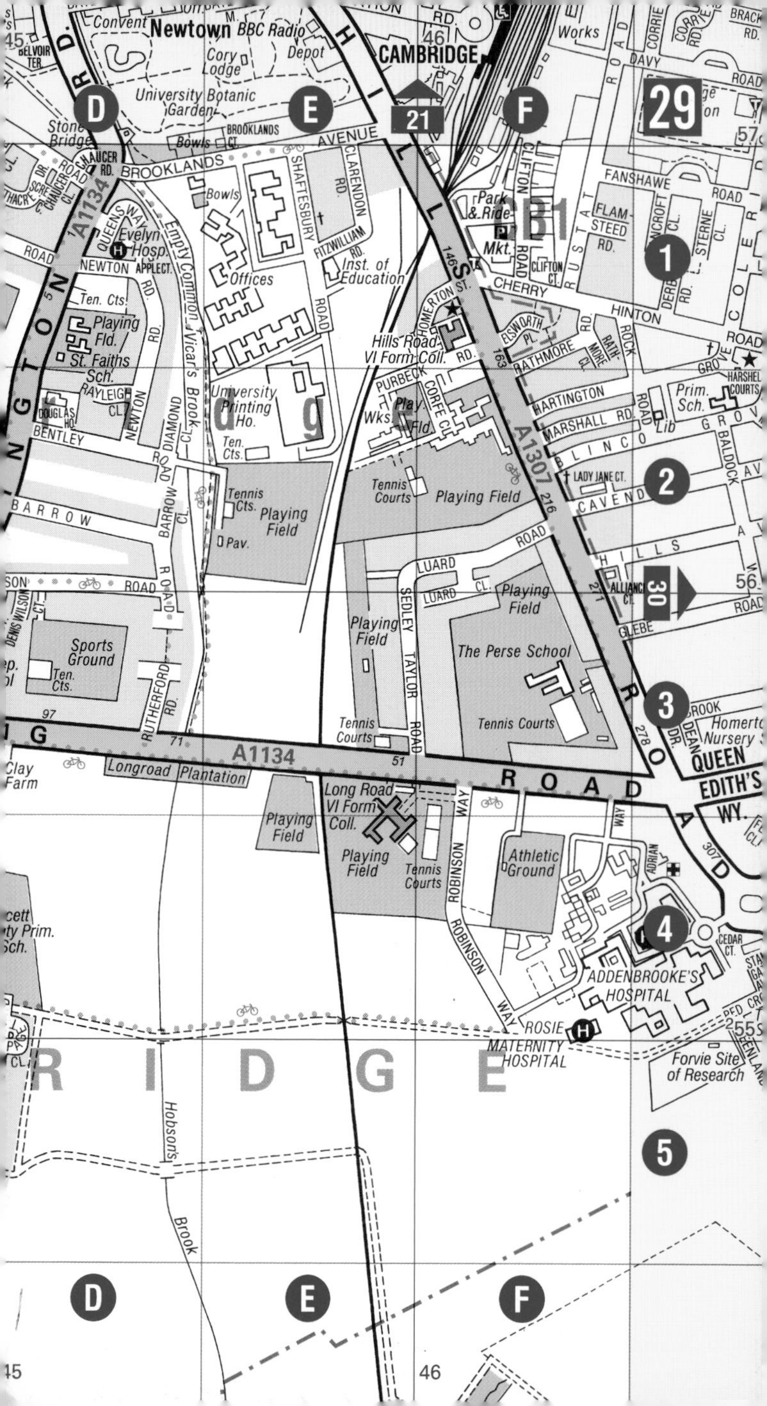
29
Newtown
CAMBRIDGE
Convent
BBC Radio
Depot
Cory Lodge
University Botanic Garden
Stone Bridge
Bowls
BROOKLANDS CT.
BROOKLANDS AVENUE
CHAUCER RD.
A1134
Evelyn Hosp.
NEWTON RD.
Empty Common
Vicar's Brook
Offices
SHAFTESBURY RD.
CLARENDON RD.
FITZWILLIAM RD.
Inst. of Education
HILLS ROAD
Park & Ride
CB1
Mkt.
CLIFTON ROAD
CLIFTON CT.
FANSHAWE ROAD
FLAMSTEED RD.
RUSTAT ROAD
CHERRY HINTON ROAD
HOMERTON ST.
ELSWORTH PL.
RATHMORE RD.
HARTINGTON GROVE
MARSHALL RD.
BLINCO GROVE
Hills Road VI Form Coll.
PURBECK RD.
CORFE CL.
University Printing Ho.
Playing Fld.
St. Faiths Sch.
RAYLEIGH CL.
DOUGLAS HO.
BENTLEY ROAD
DIAMOND CL.
BARROW ROAD
BARROW CL.
Tennis Cts.
Playing Field
Pav.
Tennis Courts
A1307
LADY JANE CT.
CAVENDISH AVE
Prim. Sch.
Lib
HARSHEL COURTS
BALDOCK WAY
HILLS AVE
LUARD ROAD
LUARD CL.
ALLIANCE CT.
GLEBE ROAD
30
SEDLEY TAYLOR ROAD
The Perse School
Sports Ground
DENIS WILSON CT.
RUTHERFORD RD.
LONG ROAD
A1134
Clay Farm
Longroad Plantation
Long Road VI Form Coll.
ROBINSON WAY
Athletic Ground
ADRIAN WAY
ADDENBROOKE'S HOSPITAL
QUEEN EDITH'S WY.
BROOKLANDS
DEAN DR.
Homerton Nursery
CEDAR CT.
ROSIE MATERNITY HOSPITAL
Forvie Site of Research
RIDGE
Hobson's Brook
D
E
F
1
2
3
4
5
45
46
55
56
57

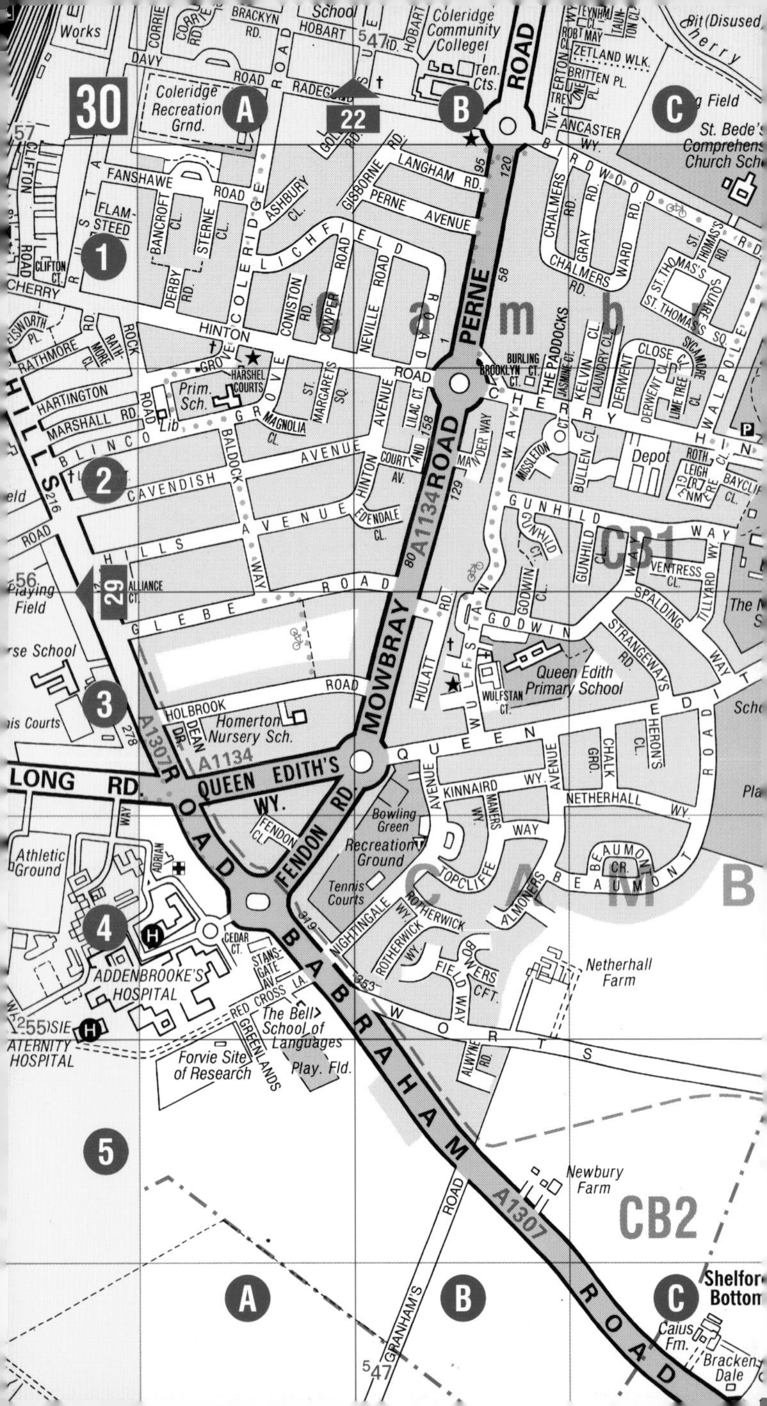
Works
CORRIE
CORRIE RD.
BRACKYN RD.
School
HOBART
HOBART RD.
Coleridge Community College
TEYNHAM CL.
ROBT MAY CL.
TAUNTON CL.
ZETLAND WLK.
BRITTEN PL.
Pit (Disused)
Cherry
DAVY ROAD
RADEGUND
Ten. Cts.
ROAD
Coleridge Recreation Grnd.
22
TIVERTON
TREVONE
ANCASTER WY.
St. Bede's Comprehensive Church School
CLIFTON ROAD
CLIFTON CT.
FANSHAWE ROAD
FLAMSTEED
BANCROFT CL.
STERNE CL.
DERBY RD.
COLERIDGE
ASHBURY CL.
GISBORNE RD.
LANGHAM RD.
PERNE AVENUE
LICHFIELD ROAD
CONISTON RD.
COWPER ROAD
NEVILLE ROAD
BIRDWOOD ROAD
CHALMERS RD.
GRAY RD.
WARD RD.
ST. THOMAS'S RD.
ST. THOMAS'S SQUARE
CHALMERS RD.
PERNE
CHERRY
RATHMORE CL.
RATHMORE RD.
ROCK
HINTON ROAD
GROVE
HARSHEL COURTS
Prim. Sch.
ST. MARGARETS SQ.
HINTON AVENUE
LILAC CT.
BURLING CT.
BROOKLYN CT.
THE PADDOCKS
JASMINE CT.
KELVIN CL.
LAUNDRY CL.
DERWENT
CLOSE
SYCAMORE
LIME TREE CL.
WALPOLE
HARTINGTON
MARSHALL RD.
Lib
BLINCO GROVE
MAGNOLIA CL.
BALDOCK
AVENUE
COURTLAND AV.
MANDER WAY
CHERRY HINTON
MISSLETON CT.
BULLEN CL.
Depot
ROTHLEIGH CL.
BAYCLIFFE CL.
HILLS
CAVENDISH
AVENUE
EDENDALE CL.
MOWBRAY ROAD
A1134
GUNHILD WAY
GUNHILD CL.
CB1
VENTRESS CL.
TILLYARD WY.
ROAD
HILLS AVENUE
WAY
ROAD
29
ALLIANCE CT.
Playing Field
GLEBE ROAD
GODWIN CL.
GODWIN
SPALDING WAY
WULFSTAN WAY
HULATT RD.
STRANGEWAYS RD.
Queen Edith Primary School
WULFSTAN CT.
HOLBROOK ROAD
Homerton Nursery Sch.
DEAN DR.
A1307
A1134
QUEEN EDITH'S WAY
LONG RD.
QUEEN EDITH'S WY.
FENDON RD.
FENDON CL.
KINNAIRD WY.
MANERS WY.
AVENUE
NETHERHALL WY.
CHALK GRO.
HERON'S CL.
Athletic Ground
ADRIAN
Bowling Green
Recreation Ground
Tennis Courts
TOPCLIFFE WAY
ALMONERS AVENUE
BEAUMONT CR.
BEAUMONT
CAMB
ADDENBROOKE'S HOSPITAL
CEDAR CT.
STANSGATE AV.
NIGHTINGALE
ROTHERWICK WY.
FIELD WAY
BOWERS CFT.
Netherhall Farm
RED CROSS LA.
The Bell School of Languages
GREENLANDS
Forvie Site of Research
Play. Fld.
MATERNITY HOSPITAL
WORTS
ALWYNE RD.
BABRAHAM ROAD
A1307
Newbury Farm
CB2
GRAHAM'S ROAD
Shelford Bottom
Caius Fm.
Bracken Dale

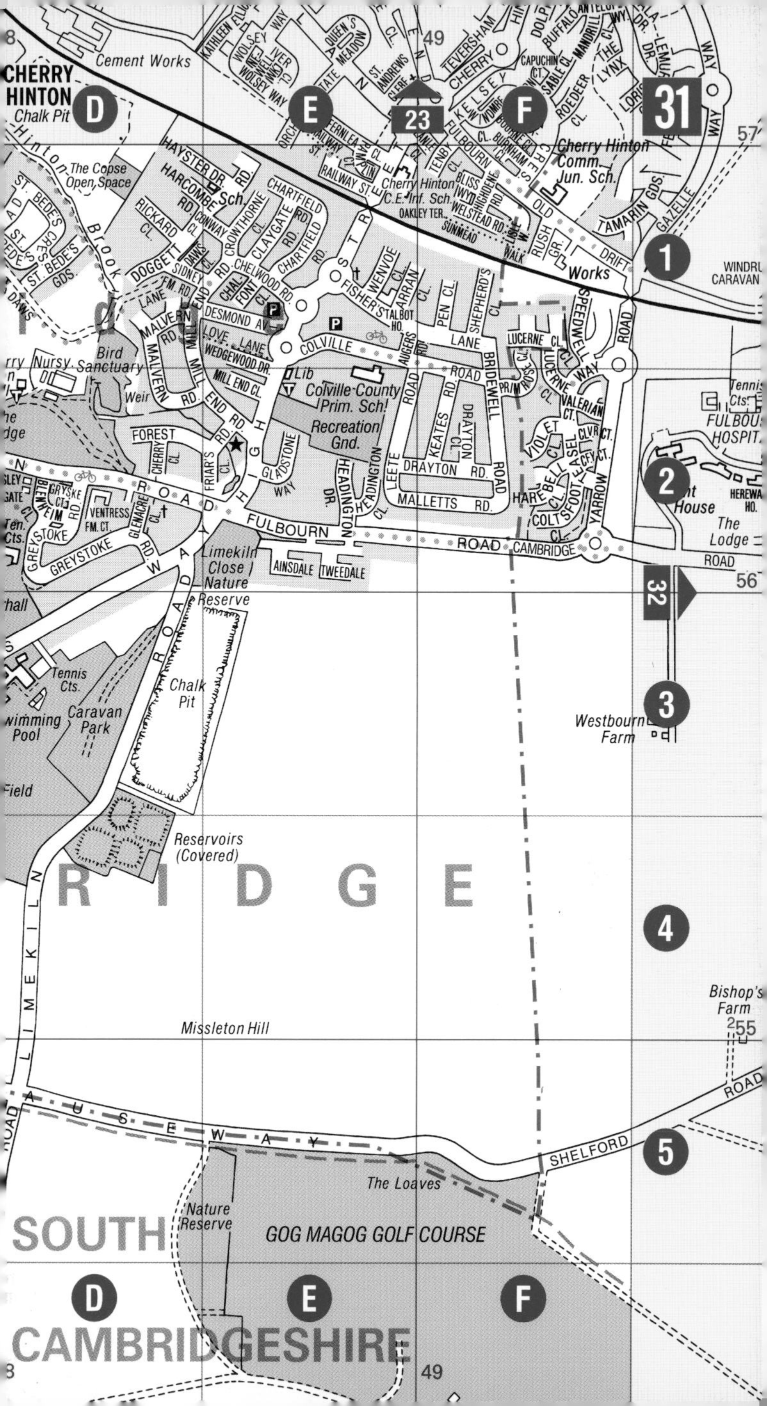

CHERRY HINTON

Cement Works

Chalk Pit

The Copse
Open Space

HAYSTER DR

HARCOMBE RD

Sch.

RD CONWAY

CL

RICKARD
CL

CHARTFIELD RD

CLAYGATE RD

CROWTHORNE

WENVOE CL

FISHER'S LA

PEN CL

RAILWAY ST

Cherry Hinton
C.E. Inf. Sch.

OAKLEY TER.

SUNMEAD

WELSTEAD RD

RUSH

WALK

Cherry Hinton
Comm. Jun. Sch.

OLD

TAMARIN GDS

Works

DOGGET LA

SIDNEY

RD

CHELWOOD RD

CHARTFIELD

St

DESMOND AV

TALBOT
HO.

SHEPHERDS

SPEEDWELL

ROAD

GAZELLE WAY

WINDRUSH
CARAVAN

MALVERN
RD

LOVE LANE

COLVILLE

WEDGEWOOD DR.

MILL END CL

Lib

COLVILLE
ROAD

ARGERS

BRIDEWELL

LUCERNE CL

LUCERNE
CT

VALERIAN CT

FULBOURN
HOSPITAL

Bird
Sanctuary

Nursy

Weir

FOREST

CHERRY
CL

FRIAR'S RD

GLADSTONE
WAY

HEADINGTON
DR

KEATES
CL

DRAYTON
CL

LEETE

DRAYTON

ROAD

HARE CL

BELL CL

VIOLET CT

COLTSFOOT CT

YARROW CT

House

HEREWA
HO.

The
Lodge

GREYSTOKE CT

VENTRESS
FM. CT.

GREYSTOKE RD

GLENALMOND

ROAD

FULBOURN

MALLETTS RD

ROAD CAMBRIDGE

Tennis
Cts

ROAD

Limekiln
Close
Nature
Reserve

AINSDALE

TWEEDALE

Westbourne
Farm

Tennis
Cts.

Caravan
Park

Chalk
Pit

Swimming
Pool

Field

Reservoirs
(Covered)

RIDGE

Bishop's
Farm
255

Missleton Hill

ROAD

CAUSEWAY

SHELFORD

The Loaves

LIMEKILN

SOUTH

Nature
Reserve

GOG MAGOG GOLF COURSE

CAMBRIDGESHIRE

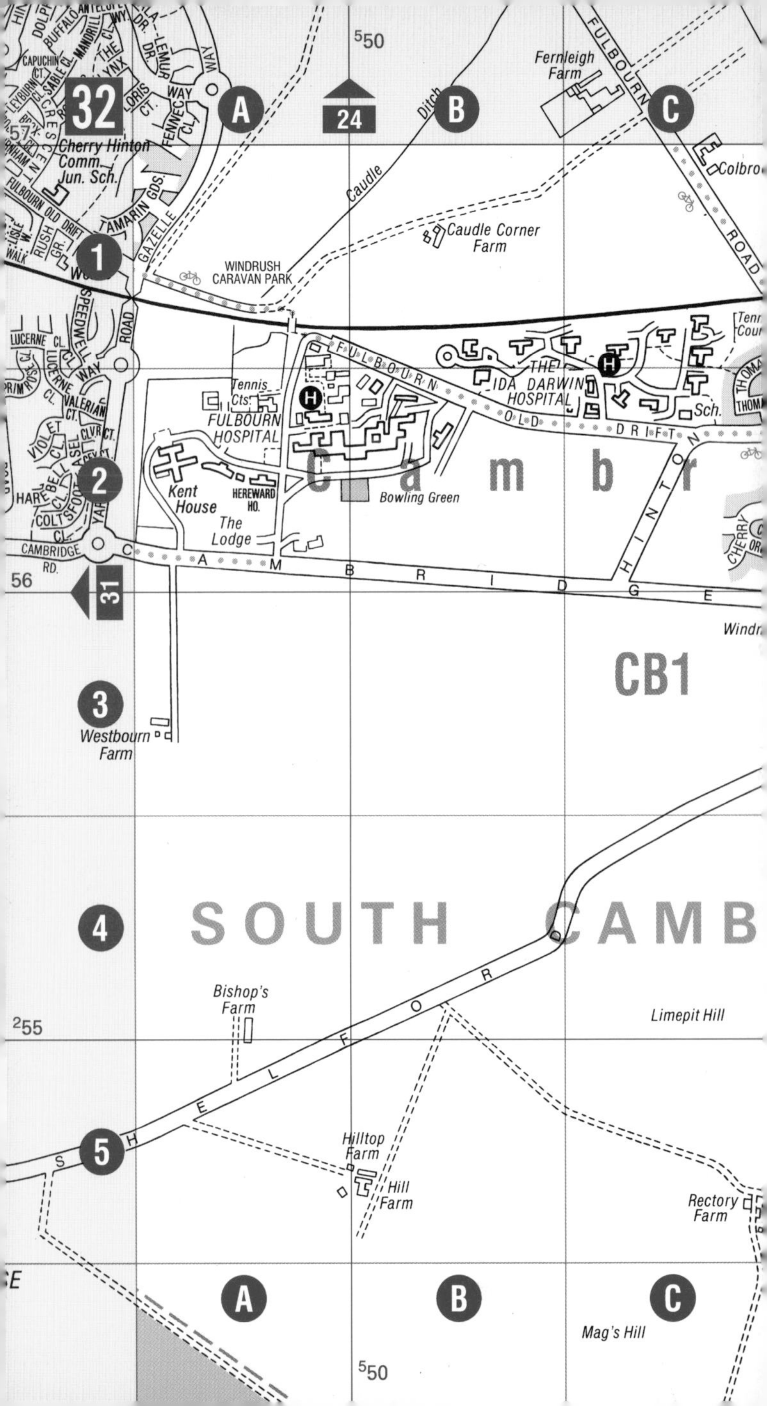
32
Cherry Hinton Comm. Jun. Sch.
TAMARIN GDS.
GAZELLE WAY
FENNEC CL.
LEMUR DR.
LYNX
LORIS CT.
CAPUCHIN CT.
SABLE CL.
MANDRILL
BUFFALO
FULBOURN OLD DRIFT
RUSH GR.
550
24
Caudle Ditch
Fernleigh Farm
FULBOURN ROAD
Colbro
Caudle Corner Farm
WINDRUSH CARAVAN PARK
SPEEDWELL WAY
LUCERNE CL.
PRIMROSE CL.
VALERIAN CT.
ROAD
Tennis Cts.
FULBOURN HOSPITAL
THE IDA DARWIN HOSPITAL
FULBOURN OLD DRIFT
Sch.
HINTON
Kent House
HEREWARD HO.
The Lodge
Bowling Green
Cambr
VIOLET CL.
HAREBELL CL.
COLTSFOOT CL.
CAMBRIDGE RD.
CAMBRIDGE
CHERRY
56
31
Windr
CB1
3
Westbourn Farm
4
SOUTH CAMB
SHELFORD
Bishop's Farm
Limepit Hill
255
5
Hilltop Farm
Hill Farm
Rectory Farm
A
B
C
Mag's Hill
550

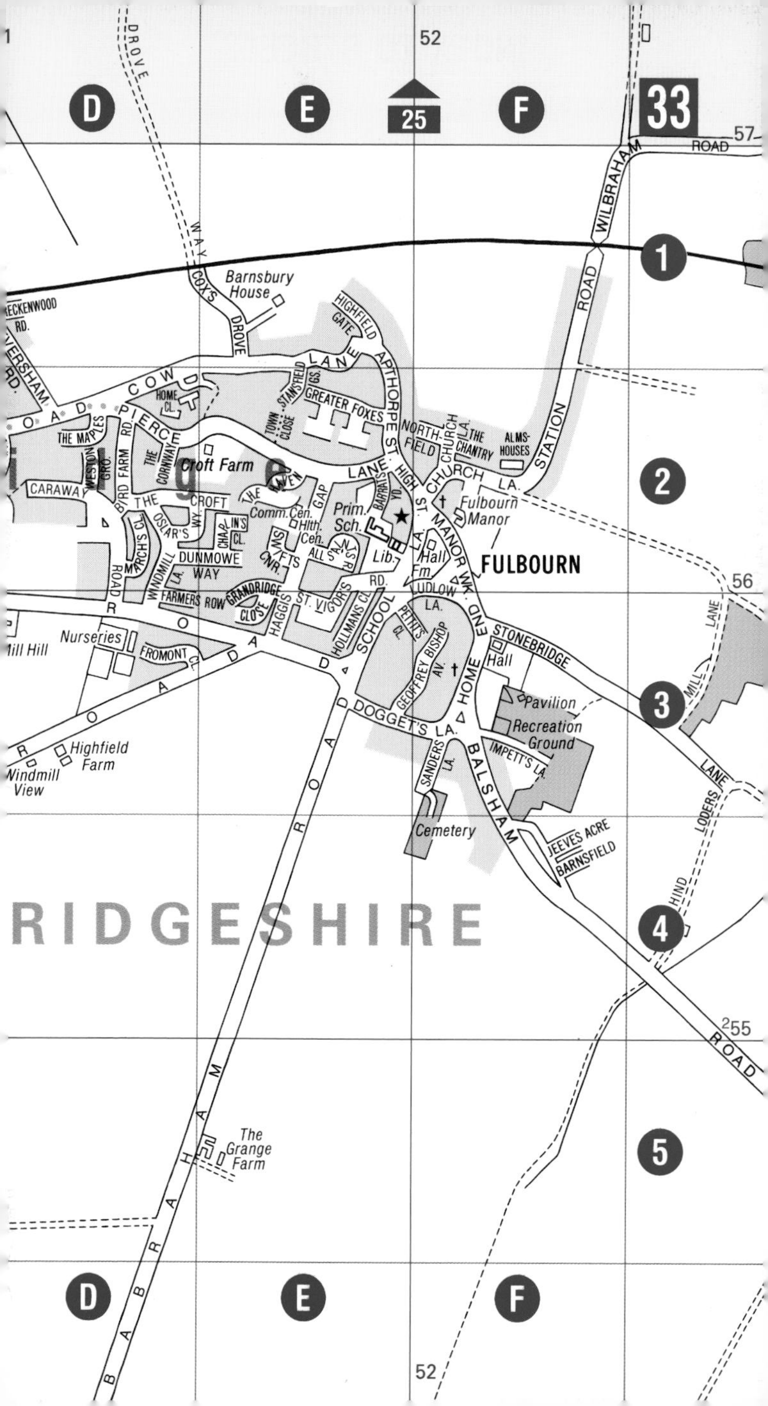

33
25
D
E
F
52
57
56
55
1
2
3
4
5
DROVE
WAY
COX'S
DROVE
Barnsbury House
ECKENWOOD RD.
COW
LANE
PIERCE
HOME CL.
STANSFIELD GS.
TOWN CLOSE
GREATER FOXES
HIGHFIELD GATE
APTHORPE ST.
HIGH
NORTH-FIELD
CHURCH LA.
THE CHANTRY
ALMS-HOUSES
STATION ROAD
WILBRAHAM ROAD
THE MAPLES
WESTON GRO.
BYRD FARM RD.
THE CORNWAY
Croft Farm
CARAWAY
THE CROFT
THE HAVEN
GAP
LANE
BARRATS YD.
ST.
CHURCH LA.
Fulbourn Manor
FULBOURN
Comm.Cen.
Hlth. Cen.
Prim. Sch.
Lib.
Hall
Fm.
OSLAR'S WY.
CHAPLIN'S CL.
MARCH'S CL.
WINDMILL LA.
DUNMOWE WAY
SWIFTS CNR.
ALL SAINTS RD.
MANOR WK.
LUDLOW LA.
FARMERS ROW
GRANDRIDGE CLOSE
HAGGIS GAP
ST. VIGORS RD.
HOLLMANS CL.
SCHOOL LA.
PETHT'S CL.
GEOFFREY BISHOP AV.
HOME END
STONEBRIDGE LANE
Hall
Pavilion
Recreation Ground
Nurseries
Mill Hill
FROMONT CL.
ROAD
Highfield Farm
Windmill View
DOGGET'S LA.
SANDERS LA.
BALSHAM ROAD
IMPETT'S LA.
Cemetery
JEEVES ACRE
BARNSFIELD
MILL LANE
LODERS
HIND
RIDGESHIRE
BABRAHAM ROAD
The Grange Farm

INDEX TO STREETS

HOW TO USE THIS INDEX

1. Each street name is followed by its Posttown or Postal Locality and then by its map reference; e.g. Abbey Rd. Cam —1F **21** is in the Cambridge Posttown and is to be found in square 1F on page **21**. The page number being shown in bold type.
   A strict alphabetical order is followed in which Av., Rd., St., etc. (though abbreviated) are read in full and as part of the street name; e.g. Barrowcrofts appears after Barrow Clo. but before Barrow Rd.

2. Streets and a selection of Subsidiary names not shown on the Maps, appear in the index in *Italics* with the thoroughfare to which it is connected shown in brackets; e.g. *Brandon Ct. Cam —3E* ***21*** *(off Brandon Pl.)*

3. The page references shown in brackets indicate those streets that appear on the large scale map pages 2 & 3; e.g. All Saints Pas. Cam —2C **20** (2D **3**) appears in square 2C on page **20** and also appears in the enlarged section in square 2D on page **3.**

GENERAL ABBREVIATIONS

All : Alley
App : Approach
Arc : Arcade
Av : Avenue
Bk : Back
Boulevd : Boulevard
Bri : Bridge
B'way : Broadway
Bldgs : Buildings
Bus : Business
Cen : Centre
Chu : Church
Chyd : Churchyard
Circ : Circle
Cir : Circus
Clo : Close
Comn : Common
Cotts : Cottages
Ct : Court
Cres : Crescent
Dri : Drive
E : East
Embkmt : Embankment
Est : Estate
Gdns : Gardens
Ga : Gate
Gt : Great
Grn : Green
Gro : Grove
Ho : House
Ind : Industrial
Junct : Junction
La : Lane
Lit : Little
Lwr : Lower
Mnr : Manor
Mans : Mansions
Mkt : Market
M : Mews
Mt : Mount
N : North
Pal : Palace
Pde : Parade
Pk : Park
Pas : Passage
Pl : Place
Rd : Road
S : South
Sq : Square
Sta : Station
St : Street
Ter : Terrace
Up : Upper
Vs : Villas
Wlk : Walk
W : West
Yd : Yard

POSTTOWN AND POSTAL LOCALITIES ABBREVIATIONS

Bart : Barton
Cam : Cambridge
C Hin : Cherry Hinton
Ches : Chesterton
Cot : Coton
F Dit : Fen Ditton
Ful : Fulbourn
Gir : Girton
Gran : Grantchester
Gt S : Great Shelford
Hard : Hardwick
Has : Haslingfield
His : Histon
Horn : Horningsea
Imp : Impington
Land : Landbeach
Mil : Milton
Oak : Oakington
Quy : Quy
Tev : Teversham
Trum : Trumpington

INDEX TO STREETS

Abbey Rd. Cam —1F **21**
Abbey St. Cam —2F **21**
Abbey Wlk. Cam —2F **21**
Abbots Clo. Cam —2D **13**
Abbots Way. Horn —5F **9**
Abercorn Pl. Cam —1D **13**
Acrefield Dri. Cam —1E **21**
Acton Way. Cam —4C **12**
Adam & Eve St. Cam —3E **21**
Adams Rd. Cam —2A **20**
Adrian Way. Cam —4F **29**
Aingers Rd. His —2A **6**
Ainsdale. Cam —2E **31**
Ainsworth Ct. Cam —3F **21**
Ainsworth Pl. Cam —3A **22**
Ainsworth St. Cam —3F **21**
Airport Way. Cam —2F **23**
Akeman St. Cam —4B **12**
Akeman St. Land —1A **8**
Albemarle Way. Cam —2D **13**
Albert Rd. Quy —3F **17**
Albert St. Cam —1D **21**
Albion Row. Cam —1B **20**
Alex Wood Rd. Cam —3D **13**
Alice Way. His —1A **6**

Allen Ct. Cam —5C **28**
Allens Clo. Bart —3A **26**
Alliance Ct. Cam —2F **29**
Allington Way. Cam —1A **6**
All Saints Pas. Cam
—2C **20** (2D **3**)
All Saints Rd. Ful —2E **33**
Almoners Av. Cam —4B **30**
Alpha Rd. Cam —1C **20**
Alpha Ter. Cam —4C **28**
Alstead Rd. His —1A **6**
Alwyne Rd. Cam —5B **30**
Amblecote Ho. Cam —2F **21**
Amhurst Ct. Cam —4A **20**
Amwell Rd. Cam —1E **13**
Ancaster Way. Cam —5C **22**
Anglers Way. Cam —4B **14**
Angus Clo. Cam —4F **21**
Annesley. Cam —2D **31**
Ann's Rd. Cam —5D **15**
Anstey Way. Cam —5C **28**
Antelope Way. Cam —5F **23**
Apollo Way. Cam —1D **13**
Applecourt. Cam —1D **29**
Apthorpe St. Ful —2E **33**
Apthorpe Way. Cam —2F **13**
Aragon Clo. Cam —2D **13**
Arbury Ct. Cam —3D **13**
Arbury Rd. Cam —2C **12**
Arcadia Gdns. Oak —1B **4**
Archibald All. Cam
—3C **20** (3D **3**)
Archway Ct. Cam —5A **20**
Arden Rd. Cam —1E **13**
Argyle St. Cam —4F **21**
Armitage Way. Cam —1E **13**
Arran Clo. Cam —1E **31**
Arthur St. Cam —5C **12**
Arundel Clo. Cam —4A **12**
Ascham Rd. Cam —5D **13**
Ashbury Clo. Cam —1A **30**
Ashcroft Ct. Cam —2D **13**
Ashfield Rd. Cam —4A **14**
Ashley St. Cam —3F **21**
Ashvale. Cam —2D **13**
Ashworth Pk. Cam —5A **20**
Atherton Clo. Cam —4D **13**
Athlone. Cam —2F **21**
Atkins Clo. Cam —2F **13**
Auckland Rd. Cam —2E **21**
Augers Rd. Cam —1E **31**
Augustus Clo. Cam —1D **13**
Australia Ct. Cam —5A **12**
Avenue, The. Cam
—2B **20** (2B **2**)
Avenue, The. Gir —1A **10**
Aylesborough Clo. Cam
—2C **12**

Aylestone Rd. Cam —1E **21**

Babraham Rd. Cam —4A **30**
Babraham Rd. Ful —5D **33**
Badminton Clo. Cam —4B **12**
Bagot Pl. Cam —1E **13**
Bailey M. Cam —2E **21**
Bakery Clo. F Dit —4D **15**
Baldock Way. Cam —2A **30**
Ballard Clo. Mil —3C **8**
Balsham Rd. Cam —3F **33**
Bancroft Clo. Cam —1A **30**
Bandon Rd. Gir —3E **11**
Banff Clo. Cam —2D **13**
Banhams Clo. Cam —1E **21**
Barnard Way. Cam —4C **12**
Barnes Clo. Cam —2C **22**
Barnsfield. Ful —4F **33**
Barnwell Bus. Pk. Cam
—2D **23**
Barnwell Dri. Cam —2D **23**
Barnwell Rd. Cam —3C **22**
Barrats Yd. Cam —2E **33**
Barrow Clo. Cam —2D **29**
Barrowcrofts. His —1A **6**
Barrow Rd. Cam —2D **29**
Barton Clo. Cam —4A **20**
Barton Rd. Bart —2C **26**
Barton Rd. Has —5A **26**
Bassett Clo. Cam —1E **13**
Bateman M. Cam —5E **21**
Bateman St. Cam —5D **21**
Bateson Rd. Cam —5C **12**
Baycliffe Clo. Cam —2C **30**
Bayford Pl. Cam —1E **13**
Beaconsfield Ter. Cam
—5C **12**
Beadles Trading Est. Cam
—5B **14**
Beales Way. Cam —2F **13**
Beaulands Clo. Cam —1E **21**
Beaumont Cres. Cam —4C **30**
Beaumont Rd. Cam —4C **30**
Beche Rd. Cam —2F **21**
Beckenwood Rd. Cam
—1D **33**
Beeches, The. Cam —4E **13**
Beehive Cen. Cam —2A **22**
Belgrave Rd. Cam —4B **22**
Bell Hill. His —2A **6**
Belmont Pl. Cam
—2D **21** (2F **3**)
Belmore Clo. Cam —4B **12**
Belvoir Rd. Cam —1E **21**
Belvoir Ter. Cam —5D **21**
Benet Clo. Mil —5B **8**
Benet Pl. Cam —4D **21**

Benet St. Cam
—3C **20** (3D **3**)
Benians Ct. Cam —1A **20**
Bennys Way. Cot —2A **18**
Benson Pl. Cam —5B **12**
Benson St. Cam —5B **12**
Bentinck St. Cam —4D **21**
Bentinck Ter. Cam —4D **21**
Bentley Rd. Cam —2D **29**
Bergholt Clo. Cam —5D **15**
Bermuda Rd. Cam —5B **12**
Bermuda Ter. Cam —5B **12**
Berrylands. Cam —4E **13**
Beverley Way. Cam —4C **28**
Biggin La. Cam —1E **15**
Bill Briggs Ct. Cam —4A **22**
Birch Clo. Cam —4E **13**
Bird Farm Rd. Ful —2D **33**
Birdwood Rd. Cam —1C **30**
Bishop's Rd. Cam —5C **28**
Bishop Way. Imp —3B **6**
Blackhall Rd. Cam —2B **12**
Blackmoor Head. Cam
—1D **3**
Blackthorn Clo. Cam —3E **13**
Blanford Wlk. Cam —2B **12**
Blenheim Clo. Cam —2D **31**
Blinco Gro. Cam —2F **29**
Bliss Way. Cam —1F **31**
Blossom St. Cam —3F **21**
Borrowdale. Cam —3B **12**
Botolph La. Cam
—3C **20** (4D **3**)
Bourne Rd. Cam —4B **14**
Bowers Croft. Cam —4B **30**
Brackenbury. Imp —3B **6**
Brackley Clo. Cam —3C **12**
(in two parts)
Brackyn Rd. Cam —5A **22**
Bradbrushe Fields. Cam
—1E **19**
Bradmore La. Cam —3E **21**
Bradmore St. Cam —3E **21**
Bradwells Ct. Cam
—3D **21** (3E **3**)
Brambles, The. Gir —3F **11**
Brambles, The. Trum
—5C **28**
Bramley Ct. Cam —3B **14**
Brampton Rd. Cam —3A **22**
Brandon Ct. Cam —3E 21
(off Brandon Pl.)
Brandon Pl. Cam —3E **21**
Bray. Cam —2F **21**
Breckenwood Rd. Ful
—1D **33**
Brentwood Clo. Cam —5D **15**
Brentwood Ct. Cam —5D **15**

Bridacre. Cam —1E **21**
Bridewell Rd. Cam —1F **31**
Bridge Rd. Imp —3B **6**
Bridge St. Cam
—2C **20** (1D **3**)
Bridle Way. Gran —3E **27**
Brierley Wlk. Cam —2B **12**
Brimley Rd. Cam —3D **13**
Britannic Way. Cam —5E **23**
Britten Pl. Cam —5C **22**
Broadmeadows. Cam —1E **21**
Broad St. Cam —3E **21**
Broadway. Cam —3F **27**
Broadway, The. Cam —4A **22**
Broadway, The. Oak —1B **4**
Brookfield Rd. Cam —2A **18**
Brookfields. Cam —4B **22**
Brooklands Av. Cam —1D **29**
Brooklands Ct. Cam —5E **21**
Brook La. Cot —3B **18**
Brooklyn Ct. Cam —2B **30**
Brookmount Ct. Cam —1E **13**
Brookside. Cam —4D **21**
Brookside La. Cam —5D **21**
Brooks Rd. Cam —4B **22**
Brownlow Rd. Cam —3B **12**
Broxbourne Clo. Cam
—5F **23**
Brunswick Gdns. Cam
—2E **21**
Brunswick Ter. Cam —2E **21**
Brunswick Wlk. Cam —2E **21**
Buchan St. Cam —1D **13**
Buckingham Rd. Cam
—1B **20**
Budleigh Clo. Cam —5C **22**
Buffalo Way. Cam —5F **23**
Bullen Clo. Cam —2C **30**
Bulstrode Gdns. Cam —1F **19**
Bulteel Clo. Mil —3B **8**
Bunker's Hill. Gir —3E **11**
Burgoynes Farm Clo. Imp
—3C **6**
Burgoynes Rd. Imp —3C **6**
Burkett Way. His —1A **6**
Burleigh Pl. Cam —2E **21**
Burleigh St. Cam —2E **21**
Burling Ct. Cam —1B **30**
Burling Wlk. Mil —3C **8**
Burnham Clo. Cam —1F **31**
Burnside. Cam —5C **22**
Burnt Clo. Gran —3F **27**
Burrell's Wlk. Cam
—3B **20** (3A **2**)
Burrough Field. Imp —5B **6**
Butcher Clo. Mil —3B **8**
Butler Way. Cam —3C **12**
Butt La. Mil —3F **7**

Byron Sq. Cam —5C **28**

Cadwin Field. Cam —2E **13**
Caithness Ct. Cam —1D **13**
Caledon Way. Cam —1D **13**
Callander Clo. Cam —2C **12**
Cambanks. Cam —5F **13**
Cambridge Bus. Pk. Cam
—2B **14**
Cambridge Pl. Cam —4E **21**
Cambridge Rd. Bart —4B **26**
Cambridge Rd. C Hin —2F **31**
Cambridge Rd. Cot —2B **18**
Cambridge Rd. Gir —5D **5**
Cambridge Rd. Imp —5B **6**
(in two parts)
Cambridge Rd. Mil —5B **8**
Cambridge Rd. Oak —1B **4**
Cambridge Science Pk. Ches
—1F **13**
Cam Causeway. Cam —3A **14**
Camden Ct. Cam
—3D **21** (4F **3**)
Cameron Rd. Cam —2D **13**
Campbell La. Cam —4B **28**
Campbell St. Cam —4A **22**
Campkin Ct. Cam —2E **13**
Campkin Rd. Cam —3D **13**
Camside. Cam —5F **13**
Cannon Ct. Cam —5F **13**
Canterbury Clo. Cam —5B **12**
Canterbury Ct. Cam —5B **12**
Canterbury St. Cam —5B **12**
Capstan Clo. Cam —1F **21**
Capuchin Ct. Cam —5F **23**
Caravere Clo. Cam —1E **13**
Caraway Rd. Ful —2D **33**
Caribou Way. Cam —5F **23**
Carisbrooke Rd. Cam —4B **12**
Carlow. Cam —2F **21**
Carlton Way. Cam —4C **12**
Carlyle Rd. Cam —1C **20**
Caroline Pl. Cam —3E **21**
Castle Pk. Cam —1B **20**
Castle Row. Cam —1B **20**
Castle St. Cam —1B **20**
Catherine St. Cam —4A **22**
Causeway Pas. Cam —2E **21**
Causewayside. Cam —4C **20**
Cavendish Av. Cam —2F **29**
Cavendish Rd. Cam —4A **22**
Cavesson Ct. Cam —3B **12**
Cedar Ct. Cam —4A **30**
Cenacle, The. Cam —5B **20**
Chalfont Clo. Cam —1E **31**
Chalk Gro. Cam —3C **30**
Chalmers Rd. Cam —1B **30**

Chamberlain Ct. Cam —5B **12**
Champneys Wlk. Cam
—4B **20**
Chancellors Wlk. Cam
—3B **12**
Chantry Clo. Cam —5E **13**
Chantry, The. Ful —2F **33**
Chapel St. Cam —5F **13**
Chaplin's Clo. Ful —2E **33**
Chapman Ct. Cam —2D **13**
Charles St. Cam —5A **22**
Chartfield Rd. Cam —1E **31**
Chatsworth Av. Cam —4B **12**
Chaucer Clo. Cam —1D **29**
Chaucer Rd. Cam —5C **20**
Cheddar's La. Cam —1A **22**
Chedworth St. Cam —5B **20**
Chelwood Rd. Cam —1E **31**
Cheney Way. Cam —4B **14**
Chequers Rd. Imp —4B **6**
Cherry Bounds Rd. Gir
—1D **11**
Cherry Clo. Cam —2D **31**
Cherry Clo. Mil —3C **8**
Cherry Hinton Rd. Cam
—1F **29**
Cherry Hinton Rd. C Hin
—5C **30**
Cherry Hinton Rd. Tev
—5F **23**
Cherry Orchard. Ful —2C **32**
Cherry Orchard. Oak —1B **4**
Cherwell Ct. Cam —5B **20**
Chesterfield Rd. Cam —3F **13**
Chesterton Hall Cres. Cam
—5E **13**
Chesterton La. Cam —1C **20**
Chesterton Rd. Cam —1C **20**
*Chesterton Towers. Cam
(off Chapel St.) —5F 13*
Chestnut Gro. Cam —5E **13**
Chigwell Ct. Cam —5D **15**
Chivers Way. His —4B **14**
Christchurch St. Cam
—2E **21**
Christ's La. Cam
—3D **21** (3E **3**)
Church End. Cam —4E **23**
Church End. Cot —2A **18**
Church La. Bart —3A **26**
Church La. Ful —2F **33**
Church La. Gir —1D **11**
Church La. Mil —4C **8**
Church La. Trum —5B **28**
Church Rate Wlk. Cam
—4B **20**
Church Rd. Cam —2A **24**
Church Rd. Quy —5E **17**

Church St. Ches —5F **13**
Church St. F Dit —4D **15**
Church St. His —1A **6**
City Rd. Cam —3E **21**
Clare Ct. Cam —4C **8**
Claremont. Cam —5E **21**
Clarendon Rd. Cam —1E **29**
Clarendon St. Cam
—3D **21** (3F **3**)
Clare Rd. Cam —4B **20**
Clare St. Cam —5B **12**
Clarkson Clo. Cam —2A **20**
Clarkson Rd. Cam —2A **20**
Clay Clo. La. Imp —3C **6**
Claygate Rd. Cam —1E **31**
Clayhithe Rd. Cam —4F **9**
Clay St. His —1A **6**
Clerk Maxwell Rd. Cam
—2F **19**
Clifton Ct. Cam —1F **29**
Clifton Rd. Cam —1F **29**
Cliveden Clo. Cam —4B **12**
Clover Ct. Cam —2F **31**
Coach Ho. Ct. Cam —5E **13**
Cobble Yd. Cam —2E 21
(off Napier St.)
Cobholme Pl. Cam —1E **13**
Cockburn St. Cam —4A **22**
Cockcroft Pl. Cam —2A **20**
Cockerell Rd. Cam —4C **12**
Cockerton Rd. Gir —5D **5**
Coggeshall Clo. Cam —5D **15**
Coldham's Gro. Cam —4B **22**
Coldham's La. Cam —2A **22**
Coldham's Rd. Cam —2A **22**
Coleridge Rd. Cam —1A **30**
Coles La. Oak —1B **4**
Coles Rd. Mil —4C **8**
College Farm Ct. Bart —4B **26**
College Rd. Imp —5A **6**
Collier St. Cam —3E **21**
Colliers La. Quy —3F **17**
Coltsfoot Clo. Cam —2F **31**
Colville Rd. Cam —1E **31**
Colwyn Clo. Cam —4C **12**
Comberton Rd. Cam —2A **26**
Comfrey Ct. Cam —2F **31**
Conder Clo. Mil —3B **8**
Conduit Head Rd. Cam
—1E **19**
Coniston Rd. Cam —1A **30**
Consul Ct. Cam —2D 13
(off Northfield Av.)
Conway Clo. Cam —1E **31**
Cook Clo. Cam —3A **14**
Coppice, The. Imp —5B **6**
Coral Pk. Trading Est. Cam
—1A **22**

Corfe Clo. Cam —2F **29**
Corn Exchange St. Cam
—3C **20** (3D **3**)
Cornway, The. Ful —2D **33**
Corona Rd. Cam —5D **13**
Coronation M. Cam —4D **21**
Coronation Pl. Cam —5D **21**
Coronation St. Cam —4D **21**
Corrie Rd. Cam —5A **22**
Cosin Ct. Cam
—4C **20** (5D **3**)
Coton Footpath. Cam
—2D **19**
Coton Rd. Gran —1D **27**
Cottenham Rd. His —1A **6**
Coulson Clo. Mil —4B **8**
Courtland Av. Cam —2B **30**
Courtney Way. Cam —4D **13**
Covent Garden. Cam
—4E **21**
Cow La. Ful —2D **33**
Cowley Rd. Cam —2B **14**
Cowper Rd. Cam —1A **30**
Cox's Drove. Ful —1E **33**
Craister Ct. Cam —2D **13**
Crane Ind. Est. Cam —5C **8**
Cranleigh Clo. Cam —5C **28**
Cranmer Rd. Cam —3A **20**
Cratherne Way. Cam
—2E **13**
Craven Clo. Cam —5C **28**
Crawford Clo. Cam —1D **13**
Crescent, The. Cam —1A **20**
Crescent, The. Imp —5B **6**
Crispin Pl. Cam —2E **21**
Croft Clo. His —1A **6**
Croft Gdns. Cam —5B **20**
Croftgate. Cam —5A **20**
Croft Holme La. Cam
—1D **21**
Croft La. Oak —1A **4**
Croft Lodge. Cam —5B **20**
Croft, The. Ful —2D **33**
Crome Ditch Clo. Gran
—3F **27**
Cromwell Rd. Cam —3A **22**
Crossfield Ct. Cam —2D **13**
Cross St. Cam —4E **21**
Crossways Gdns. Cam
—5C **28**
Crossways Ho. Cam —5C **28**
Crowland Way. Cam —2E **13**
Crowthorne Clo. Cam
—1E **31**
Cunningham Clo. Cam
—3D **13**
Cutter Ferry Clo. Cam
—1F **21**

Cutter Ferry La. Cam —1E **21**
Cyprus Rd. Cam —5B **22**

Dalegarth. Cam —2F **21**
Dalton Sq. Cam —4A **14**
Dane Dri. Cam —3F **19**
Darwin Dri. Cam —4B **12**
Davey Clo. Imp —3B **6**
David Bull Way. Mil —3C **8**
David St. Cam —4F **21**
Davy Rd. Cam —5A **22**
Daws Clo. Cam —1D **31**
Daws La. Cam —1D **31**
Dean Dri. Cam —3A **30**
De Freville Av. Cam —1E **21**
Denis Wilson Ct. Cam
—3D **29**
Dennison M. Cam —4A **22**
Dennis Rd. Cam —5E **15**
Derby Rd. Cam —1A **30**
Derby St. Cam —5B **20**
Derwent Clo. Cam —2C **30**
Desmond Av. Cam —1E **31**
Devonshire M. Cam —5F **21**
Devonshire Rd. Cam
—5F **21**
Diamond Clo. Cam —2D **29**
Ditchburn Pl. Cam —4F **21**
Ditton Fields. Cam —1C **22**
Ditton La. Cam —1D **23**
Ditton Wlk. Cam —5B **14**
Dock La. Horn —4F **9**
Doctor's Clo. Imp —3C **6**
Dodford La. Gir —4C **4**
Dogget's La. Ful —3E **33**
Doggett Rd. Cam —1D **31**
Dole, The. Imp —3B **6**
(in two parts)
Dolphin Clo. Cam —5F **23**
Donegal. Cam —2F **21**
Douglas Ho. Cam —2D **29**
Dover St. Cam —3E **21**
Dowding Way. Cam —3C **12**
Downhams La. Cam —3E **13**
Downing Pl. Cam
—3D **21** (4E **3**)
Downing St. Cam
—3D **21** (4E **3**)
Drayton Clo. Cam —2F **31**
Drayton Rd. Cam —2F **31**
Drift, The. Oak —1A **4**
Drosier Rd. Cam —4E **21**
Drove Way, The. Cam
—2E **17**
Drummer St. Cam
—3D **21** (3E **3**)
Dry Drayton Rd. Oak —2A **4**

Duck End. Gir —1D **11**
Dudley Rd. Cam —5C **14**
Dundee Clo. Cam —4F **13**
Dunmowe Way. Ful —2D **33**
Dunsmore Clo. Cam —5D **15**
Durnford Way. Cam —4D **13**
Dwyer-Joyce Clo. His —2A **6**

Eachard Rd. Cam —4A **12**
Earl St. Cam —3D **21** (3F **3**)
Eastfield. Cam —4F **13**
E. Hertford St. Cam —1C **20**
East Rd. Cam —3E **21**
Eaton Clo. Cam —3F **13**
Edendale Clo. Cam —2B **30**
Eden St. Cam —3E **21**
Eden St. Backway. Cam
—2E **21**
Edgecombe. Cam —2E **13**
Edinburgh Rd. Cam —4F **13**
Edmund Clo. Mil —4B **8**
Edward St. Cam —3F **21**
Edwinstowe Clo. Cam
—1C **28**
Egerton Clo. Cam —5C **14**
Egerton Rd. Cam —5D **15**
Ekin Rd. Cam —5C **14**
Ekin Wlk. Cam —5C **14**
Eland Way. Cam —5F **23**
Elder Clo. Cam —3E **13**
Elfleda Rd. Cam —1B **22**
Elizabeth Way. Cam —5E **13**
Ellesmere Rd. Cam —3C **12**
Elmfield Clo. Cam —4F **13**
Elmfield Rd. Cam —4F **13**
Elms, The. Mil —4B **8**
Elm St. Cam —2D **21** (2F **3**)
Elsworth Pl. Cam —1F **29**
Eltisley Av. Cam —5B **20**
Ely Pl. Cam —4C **28**
Ely Rd. Cam —4C **8**
Emery Rd. Cam —3F **21**
Emery St. Cam —3F **21**
Emmanuel Rd. Cam
—3D **21** (3F **3**)
Emmanuel St. Cam
—3D **21** (3E **3**)
Emperor Ct. Cam —2D **13**
Enfield. Cam —2F **21**
Ennisdale Clo. Cam —2D **13**
Enniskillen Rd. Cam —4A **14**
Epworth Ct. Cam
—2D **21** (2F **3**)
Erasmus Clo. Cam —4C **12**
Essex Clo. Cam —4D **13**
Etheldred Ho. Cam —1A **6**
Evergreens. Cam —4A **14**

Exeter Clo. Cam —5C **28**

Fairbairn Rd. Cam —4B **14**
Fairfax Rd. Cam —3A **22**
Fair St. Cam —2E **21**
Fairway. Gir —4D **5**
Fallowfield. Cam —4A **14**
Fanshawe Rd. Cam —1F **29**
Farmers Row. Ful —3D **33**
Farmstead Clo. His —1A **6**
Farran. Cam —2F **21**
Farringford Clo. Cam —3B **12**
Faulkner Clo. Mil —4B **8**
Fazeley. Cam —2F **21**
Felton St. Cam —4F **21**
Fen Causeway, The. Cam
—4C **20**
Fendon Clo. Cam —4A **30**
Fendon Rd. Cam —4A **30**
Fen Drove Way. Cam
—4D **25**
Fennec Clo. Cam —5A **24**
Fenners Lawn. Cam —4E **21**
Fen Rd. Ches —4B **14**
Fen Rd. Mil —4C **8**
Ferndale. Cam —4B **24**
Ferndale Rise. Cam —5B **14**
Fernlea Clo. Cam —5E **23**
Ferrars Way. Cam —3C **12**
Ferry La. Cam —5A **14**
Ferry Path. Cam —1D **21**
Field La. Cam —2D **15**
Field Way. Cam —4B **30**
Finch Rd. Cam —4C **12**
Fisher's La. Cam —1E **31**
Fisher St. Cam —1C **20**
Fison Rd. Cam —5D **15**
Fitzroy La. Cam —2E **21**
Fitzroy St. Cam —2E **21**
Fitzwilliam Rd. Cam —1E **29**
Fitzwilliam St. Cam
—4C **20** (5E **3**)
Flamsteed Rd. Cam —1F **29**
Fletcher's Ter. Cam —4F **21**
Flower St. Cam —3F **21**
Fontwell Av. Cam —3B **12**
Footpath, The. Cot —2B **18**
Footpath, The. Gran —3F **27**
Fordwich Clo. Cam —3C **12**
Forest Rd. Cam —2D **31**
Fortescue Rd. Cam —3D **13**
Forum Ct. Cam —2D **13**
Foster Rd. Cam —5C **28**
Fox's Clo. Mil —4C **8**
Francis Darwin Ct. Cam
—4B **12**
Francis Pas. Cam —5D **21**

Frankel Clo. Imp —3D **7**
Frank Joung Ho. Cam —5B **2**
Franks La. Cam —4A **14**
Fraser Rd. Cam —3F **13**
Free School La. Cam
—3C **20** (4D **3**)
French's Rd. Cam —5C **12**
Friar's Clo. Cam —2E **31**
Froment Way. Mil —3B **8**
Fromont Clo. Ful —3D **33**
Fulbourn Old Drift. C Hin
(in two parts) —1F **31**
Fulbourn Rd. C Hin —2E **31**
Fulbourn Rd. Tev —4B **24**
Fulbrooke Rd. Cam —5A **20**

Gainsborough Clo. Ches
—3A **14**
Galfrid Rd. Cam —2C **22**
Garden Wlk. Ches —5C **12**
Garden Wlk. His —1B **6**
Garlic Row. Cam —1A **22**
Garner Clo. Mil —3B **8**
Garret Hostel La. Cam
—2B **20** (3B **2**)
Garry Dri. Cam —2F **13**
Gayton Clo. Cam —4C **28**
Gazeley Rd. Cam —3C **28**
Gazelle Way. Cam —4F **23**
Geldart St. Cam —2F **21**
Geoffrey Bishop Av. Ful
—3E **33**
George IV St. Cam —4E **21**
George Nuttall Clo. Cam
—3F **13**
George Pateman Ct. Cam
—5E **21**
Georges Ter. Cam —5B **12**
George St. Cam —5E **13**
Gerard Clo. Cam —1C **22**
Gerard Rd. Cam —1C **22**
Gifford Pl. Cam
—2C **20** (2D **3**)
Gifford's Clo. Gir —1D **11**
Gilbert Clo. Cam —4B **12**
Gilbert Rd. Cam —4B **12**
Gilmerton Clo. Cam —3C **28**
Girton Rd. Gir —1E **11**
Gisborne Rd. Cam —1B **30**
Gladstone Way. Cam —2E **31**
Glebe Rd. Cam —3A **30**
Glebe Way. Cam —2B **6**
Glenacre Clo. Cam —2D **31**
Glendale. Cam —5B **8**
Glenmere Clo. Cam —2C **30**
Glenmore. Cam —2F **21**
Glisson Rd. Cam —4E **21**

Gloucester St. Cam —1B **20**
Godesdone Rd. Cam —1F **21**
Goding Way. Mil —4D **9**
Godwin Clo. Cam —3B **30**
Godwin Way. Cam —3B **30**
Golding Rd. Cam —5A **22**
Gonville Pl. Cam —4E **21**
Gough Way. Cam —4F **19**
Gowers, The. Gir —5D **5**
Goy Gdns. Trum —4C **28**
Grafton Cen. Cam —2E **21**
Grafton St. Cam —2E **21**
Grandridge Clo. Ful —3E **33**
Grange Ct. Cam —4A **20**
Grange Dri. Cam —2D **11**
Grange Gdns. Cam —4A **20**
Grange Rd. Cam —4A **20**
Granham's Rd. Gt S —5B **30**
Granta Pl. Cam
—4C **20** (5C **2**)
Grantchester Meadows. Cam
—5B **20**
Grantchester Rd. Cot —3B **18**
Grantchester Rd. Gran
—2F **27**
Grantchester Rd. Gran &
Trum —4A **28**
Grantchester St. Cam
—5B **20**
Grasmere Gdns. Cam
—1C **20**
Grayling Clo. Cam —5F **13**
Gray Rd. Cam —1C **30**
Great Clo. Bart —3A **26**
Gt. Eastern St. Cam —4A **22**
Greater Foxes. Ful —2E **33**
Green End. F Dit —3D **15**
Green End Rd. Cam —3A **14**
Greenlands. Cam —4A **30**
Greenleas. His —1A **6**
Green Pk. Cam —3A **14**
Green's Rd. Cam —5D **13**
Green St. Cam
—2C **20** (2D **3**)
Green, The. Ches —4A **14**
Gresham Rd. Cam —4E **21**
Greville Rd. Cam —5A **22**
Greystoke Ct. Cam —2D **31**
Greystoke Rd. Cam —2D **31**
Grieve Ct. Cam —4B **14**
Grove, The. Cam —3A **14**
Guest Rd. Cam —3E **21**
Guildhall Pl. Cam
—3D **21** (3D **3**)
Guildhall St. Cam
—3C **20** (3D **3**)
Gunhild Clo. Cam —2C **30**
Gunhild Ct. Cam —2B **30**

Gunhild Way. Cam —2B **30**
Gunnel Clo. Cam —4C **8**
Gunning Way. Cam —3C **12**
Gun's La. Cam —1F **5**
Gurney Way. Cam —5D **13**
Gwydir St. Cam —3F **21**

Hadleigh Ct. Cam —5D **15**
Haggis Gap. Ful —3E **33**
Hale St. Cam —1C **20**
Half Acre. Cam —4B **8**
Halifax Rd. Cam —5A **12**
Hall End. Mil —4C **8**
Hall Farm Rd. Cam —4C **12**
Hamilton Rd. Cam —1E **21**
Hanover Ct. Cam —4E 21
(off Coronation St.)
Hanson Ct. Cam —2D **13**
Harcombe Rd. Cam —1D **31**
Harding Way. Cam —3B **12**
Harding Way. His —2A **6**
Hardwick St. Cam —5B **20**
Harebell Clo. Cam —2F **31**
Harris Rd. Cam —3C **12**
Harry Scott Ct. Cam —2D **13**
Harshel Courts. Cam —2A **30**
Hartington Gro. Cam —2F **29**
Harvest Way. Cam —2F **21**
Harvey Goodwin Av. Cam
—5C **12**
Harvey Goodwin Ct. Cam
—5C **12**
Harvey Goodwin Gdns. Cam
—5C **12**
Harvey Rd. Cam —4E **21**
Haslingfield Rd. Cam
—5A **26**
Hatherdene Clo. Cam
—4D **23**
Hauxton Rd. Cam —5B **28**
Haven, The. Ful —2E **33**
Haviland Way. Cam —3E **13**
Hawkins Rd. Cam —2E **13**
Hawthorn Way. Cam —5E **13**
Haymarket Rd. Cam —1B **20**
Hayster Dri. Cam —1D **31**
Haytor. Cam —4B **8**
Hazelwood Clo. Cam —2B **12**
Headford Clo. Cam —5C **14**
Headington Clo. Cam —2E **31**
Headington Dri. Cam —2E **31**
Hedgerley Clo. Cam —1F **19**
Helen Clo. Cam —5D **15**
Hemingford Rd. Cam
—4A **22**
Henley Rd. Cam —2A **22**
Henry Morris Rd. Imp —3B **6**

Herbert St. Cam —5D **13**
Herbert Twin Ct. Cam
—5C **14**
Hercules Clo. Cam —1D **13**
Hereward Clo. Imp —3B **6**
Hereward Ho. Cam —2A **32**
Heron's Clo. Cam —3C **30**
Herring's Clo. Quy —4F **17**
Herschel Rd. Cam —3A **20**
Hertford St. Cam —1C **20**
Hester Adrian Way. Cam
—5E **13**
Hick's La. Gir —1D **11**
Highdene Rd. Cam —1F **31**
High Ditch Rd. F Dit —4E **15**
Highfield Av. Cam —4D **13**
Highfield Ga. Ful —1E **33**
Highfield Rd. Imp —5B **6**
Highsett. Cam —5E **21**
High St. Barton, Bart —3A **26**
High St. Cherry Hinton, C Hin
—2E **31**
High St. Chesterton, Ches
—5F **13**
High St. Coton, Cot —2A **18**
High St. Fen Ditton, F Dit
—4D **15**
High St. Fulbourn, Ful
—2E **33**
High St. Girton, Gir —5D **5**
High St. Grantchester, Gran
—3F **27**
High St. Histon, His —2A **6**
High St. Horningsea, Horn
—5F **9**
High St. Landbeach, Land
—1C **8**
High St. Milton, Mil —4C **8**
High St. Oakington, Oak
—1B **4**
High St. Teversham, Tev
—3A **24**
High St. Trumpington, Trum
—5C **28**
Highworth Av. Cam —4E **13**
Hilda St. Cam —5C **12**
Hills Av. Cam —2F **29**
Hills Rd. Cam —4E **21**
Hind Loders. Cam —4F **33**
Hines Clo. Bart —3A **26**
Hinton Av. Cam —2B **30**
Hinton Rd. Ful —2C **32**
Histon Footpath. Cam —4E **5**
Histon Rd. Cam —2B **12**
Hoadly Rd. Cam —4A **12**
Hobart Rd. Cam —5A **22**
Hobson's Pas. Cam
—2D **21** (2E **3**)

Hobson St. Cam —2D **21** (2E **3**)
Holben Clo. Bart —4A **26**
Holbrook Rd. Cam —3A **30**
Holland St. Cam —1C **20**
Hollmans Clo. Ful —3E **33**
Hollymount. Cam —2F **21**
Holme Clo. Oak —1B **4**
Holyrood Clo. Cam —3B **12**
Home Clo. Ful —2D **33**
Home Clo. His —3A **6**
Home End. Ful —3F **33**
Homefield Clo. Imp —3B **6**
Homerton St. Cam —1F **29**
Homing, The. Cam —1D **23**
Honey Hill M. Cam —1B **20**
Hooper St. Cam —3F **21**
Hope St. Cam —4A **22**
Hopkins Clo. Cam —3F **13**
Horningsea Rd. F Dit —4E **15**
Howard Clo. Cam —5C **14**
Howard Ct. Cam —5D **15**
Howard Rd. Cam —5C **14**
Howes Pl. Cam —4F **11**
Hulatt Rd. Cam —3B **30**
Humberstone Rd. Cam —1E **21**
Humphreys Rd. Cam —3D **13**
Humphries Way. Mil —4C **8**
Huntingdon Rd. Cam —2D **11**
Huntley Clo. Cam —5D **15**
Hurrell Rd. Cam —3B **12**
Hurst Pk. Av. Cam —4D **13**

Impala Dri. Cam —5A **24**
Impett's La. Ful —3F **33**
Impington La. Imp —3B **6**
Inveran. Cam —2F **21**
Inverness Clo. Cam —4F **13**
Iver Clo. Cam —5E **23**
Ivy Field. Bart —3A **26**
Izaak Walton Way. Cam —4B **14**

Jackson Rd. Cam —2E **13**
James Carlton Clo. Mil —5B **8**
James St. Cam —2E **21**
Jasmine Ct. Cam —2B **30**
Jedburgh Clo. Cam —2C **12**
Jeeves Acre. Ful —4F **33**
Jermyn Clo. Cam —3C **12**
Jesus La. Cam —2C **20** (1D **3**)
Jesus Ter. Cam —2E **21**
John Clarke Ct. Cam —4E **13**
John St. Cam —3E **21**
Jolley Way. Cam —2E **13**
Jordan's Yd. Cam —1D **3**

Kaldor Ct. Cam —2D **13**
Kathleen Elliott Way. Cam —5E **23**
Kay Hitch Way. His —4B **6**
Keates Rd. Cam —2F **31**
Kelsey Cres. Cam —5F **23**
Kelvin Clo. Cam —2C **30**
Kendal Way. Cam —3A **14**
Kent Way. Cam —2E **13**
Kerridge Clo. Cam —3F **21**
Kettles Ct. Cam —1B **4**
Kettles Yd. Cam —1C **20**
Keynes Rd. Cam —5C **14**
Kilmaine Clo. Cam —1E **13**
Kimberley Rd. Cam —1E **21**
Kings Gro. Bart —3A **26**
King's Hedges Rd. Cam (in two parts) —2B **12**
King's La. Cam —3C **20** (4C **2**)
King's Pde. Cam —3C **20** (3D **3**)
King's Rd. Cam —5A **20**
Kingston St. Cam —4F **21**
King St. Cam —2D **21** (2E **3**)
Kingsway. Cam —2A **6**
Kinnaird Way. Cam —3B **30**
Kinross Rd. Cam —4F **13**
Kirkby Clo. Cam —4E **13**
Kirkwood Rd. Cam —1E **13**
Knight's Way. Mil —3C **8** (in two parts)

Laburnum Clo. Cam —5E **13**
Lady Jane Ct. Cam —2F **29**
Lady Margaret Rd. Cam —1B **20**
Lambourn Clo. Cam —4C **28**
Lammas Ct. Cam —5B **20**
Lammas Field. Cam —5B **20**
Landbeach Rd. Mil —1C **8** (in two parts)
Lander Clo. Mil —3B **8**
Langdale Clo. Cam —5F **23**
Langham Rd. Cam —1B **30**
Lansdowne Rd. Cam —1E **19**
Lantree Cres. Cam —5C **28**
Larchfield. Cam —4A **20**
Larkin Clo. Cam —3F **13**
Latham Clo. Cam —1C **28**
Latham Rd. Cam —1C **28**
Latimer Clo. Cam —1D **23**
Laundress La. Cam —3C **20** (4C **2**)
Laundry Clo. Cam —2C **30**
Lauriston Pl. Cam —1D **13**
Lavender Rd. Cam —2F **13**
Lawns, The. Cam —2F **19**
Lawrence Way. Cam —2E **13**
Laxton Way. Cam —3A **14**
Lea Ct. Cam —4C **8**
Lees Way. Gir —5D **5**
Leete Rd. Cam —2E **31**
Legion Ct. Cam —2D **13**
Lemur Dri. Cam —5A **24**
Lensfield Rd. Cam —4D **21**
Lents Way. Cam —4B **14**
Leonard Clo. Cam —5D **15**
Lexington Clo. Cam —4B **12**
Leyburn Clo. Cam —5F **23**
Leys Av. Cam —3D **13**
Leys Rd. Cam —4E **13**
Lichfield Rd. Cam —1A **30**
Lilac Ct. Cam —2B **30**
Lilley Clo. Cam —4A **14**
Limekiln Rd. Cam —4D **31**
Lime Tree Clo. Cam —2C **30**
Linden Clo. Cam —5B **12**
Lingholme Clo. Cam —4B **12**
Lingrey Ct. Cam —5C **28**
Lion Yd. Cam —3D **21** (3E **3**)
Lisle Wlk. Cam —1F **31**
Lit. St Mary's La. Cam —4C **20** (5D **3**)
Livermore Clo. Cam —2E **13**
Logans Way. Cam —1F **21**
Lone Tree Av. Imp —1B **12**
Long Drove Way. Cam —1E **25**
Long Reach Rd. Cam —4B **14**
Long Rd. Cam —3C **28**
Longstanton Rd. Cam —1A **4**
Loris Ct. Cam —5A **24**
Loughton Ct. Cam —5E **15**
Love La. Cam —1E **31**
Lovell Rd. Cam —2F **13**
Love's Clo. His —4B **6**
Lowbury Cres. Oak —1A **4**
Lwr. Park St. Cam —2C **20** (1D **3**)
Low Fen Droveway. Cam —1F **15**
Luard Clo. Cam —3F **29**
Luard Rd. Cam —2F **29**
Lucerne Clo. Cam —1F **31**
Lucketts Clo. His —1A **6**
Ludlow La. Ful —2F **33**
Lyndewode Rd. Cam —4E **21**
Lyndhurst Clo. Mil —4B **8**

Lynfield La. Cam —5F **13**
Lynx, The. Cam —5F **23**

Macfarlane Clo. Imp —4B **6**
Mackenzie Rd. Cam —3F **21**
Madingley Rd. Cam —1C **18**
Madras Rd. Cam —5B **22**
Magdalene St. Cam —1C **20**
Magnolia Clo. Cam —2A **30**
Magrath Av. Cam —1C **20**
Maid's Causeway. Cam
—2E **21**
Mailes Clo. Bart —3A **26**
Main St. Quy —4F **17**
Maitland Av. Cam —3A **14**
Malcolm Pl. Cam
—2D **21** (2E **3**)
Malcolm St. Cam
—2D **21** (1E **3**)
Mallards, The. Cam —1A **22**
Malletts Rd. Cam —2F **31**
Malta Rd. Cam —5A **22**
Malting La. Cam
—4B **20** (5B **2**)
Maltster's Way. Cam —5F **13**
Malvern Rd. Cam —1D **31**
Mander Way. Cam —2B **30**
Mandrill Clo. Cam —5F **23**
Maners Way. Cam —3B **30**
Manhattan Dri. Cam —1E **21**
Manor Ct. Cam —4A **20**
Manor Farm Clo. Cam —1B **4**
Manor Farm Rd. Gir —4D **5**
Manor Pk. His —2F **5**
Manor Pl. Cam
—2D **21** (2E **3**)
Manor St. Cam
—2D **21** (2E **3**)
Manor Wlk. Ful —2F **33**
Mansel Way. Cam —3D **13**
Mansfield Clo. Mil —4B **8**
Mansfield Ct. Cam —5F **13**
Maple Clo. Cam —4E **13**
Maples, The. Ful —2D **33**
March La. Cam —4E **23**
March's Clo. Ful —2D **33**
Mariner's Way. Cam —1F **21**
Marion Clo. Cam —5A **12**
Maris La. Cam —5B **28**
Market Hill. Cam
—3C **20** (3D **3**)
Market Pas. Cam
—2C **20** (2D **3**)
Market St. Cam
—2C **20** (2D **3**)
Markham Clo. Cam —2F **13**
Marks Way. Gir —5D **5**

Marlborough Ct. Cam
—4A **20**
Marlowe Rd. Cam —5B **20**
Marmora Rd. Cam —5A **22**
Marshall Rd. Cam —2F **29**
Marshall's Clo. Tev —3A **24**
Martingale La. Cam —3B **12**
Martin's Stile La. Cam
—5F **13**
Mawson Rd. Cam —4E **21**
Mayfield Rd. Gir —1E **11**
Mayflower Houses. Cam
—1E **21**
Mays Way. Cam —4B **14**
Meadow Farm Clo. Oak
—1C **4**
Meadowlands Rd. Cam
—1D **23**
Mead View. Oak —1A **4**
Melbourne Pl. Cam —3E **21**
Melvin Way. His —2F **5**
Mercers Row. Cam —5A **14**
Mere Way. Ches —3D **13**
Mere Way. Imp —3F **7**
Merton Rd. His —3A **6**
Merton St. Cam —5B **20**
Metcalfe Rd. Cam —4C **12**
Michaelmas Pl. Cam —5C **12**
Michaels Clo. Gir —5D **5**
Midhurst Clo. Cam —5A **12**
Midsummer Ct. Cam —1E **21**
Midwinter Pl. Cam —5E **13**
Milford St. Cam —3F **21**
Millcroft Ct. Cam —4A **22**
Mill End Clo. Cam —2E **31**
Mill End Rd. Cam —1D **31**
Millers Yd. Cam
—3C **20** (4D **3**)
Millington Rd. Cam —5A **20**
Mill La. Cam —3C **20** (4C **2**)
Mill La. Ful —3F **33**
Mill La. His —2B **6**
Mill Rd. Cam —3E **21**
Mill Rd. Imp —5A **6**
Mill St. Cam —4E **21**
Mill Way. Gran —4F **27**
Milton Ct. Mil —4C **8**
Milton Rd. Cam —5D **13**
Milton Rd. Imp —3C **6**
Miltons Wlk. Cam
—2D **21** (2E **3**)
Minerva Way. Cam —1D **13**
Missleton Ct. Cam —2B **30**
Misty Meadows. Cam
—5C **14**
Molewood Clo. Cam —3B **12**
Moncrieff Clo. Cam —2D **13**
Monkswell. Cam —4C **28**

Montague Rd. Cam —5E **13**
Montfort Way. Cam —3D **13**
Montgomery Rd. Cam
—3D **13**
Montreal Rd. Cam —5B **22**
Montreal Sq. Cam —5B **22**
Montrose Clo. Cam —2D **13**
Moore Clo. Ches —3F **13**
Mortimer Rd. Cam —3E **21**
Mortlock Av. Cam —3A **14**
Moss Bank. Cam —4B **14**
Mt. Pleasant. Cam —1B **20**
Mt. Pleasant Wlk. Cam
—1B **20**
Mowbray Rd. Cam —3B **30**
Mowlam Clo. Imp —4B **6**
Moyne Clo. Cam —2D **13**
Mulberry Clo. Cam —4E **13**
Musgrave Way. F Dit —3E **15**

Napier St. Cam —2E **21**
Narrow Clo. His —1B **6**
Narrow La. His —2A **6**
Natal Rd. Cam —5B **22**
Neale Clo. Cam —5E **23**
Neptune Clo. Cam —2D **13**
Netherhall Way. Cam —3C **30**
Neville Rd. Cam —1B **30**
New Ct. Cam —5F **13**
Newell Wlk. Cam —5E **23**
Newmarket Rd. Cam —2E **21**
Newnham Croft St. Cam
—5B **20**
Newnham Path. Cam —4B **20**
Newnham Rd. Cam —4B **20**
Newnham Ter. Cam —4B **20**
Newnham Wlk. Cam
—4B **20** (5B **2**)
New Pk. St. Cam —1C **20**
New Rd. Bart —3A **26**
New Rd. Imp —4B **6**
New Rd. Oak —3D **5**
New School Rd. His —3A **6**
New Sq. Cam —2E **21** (2F **3**)
New St. Cam —2F **21**
Newton Rd. Cam —1D **29**
Nicholson Way. Cam —3D **13**
Nightingale Av. Cam —4A **30**
Norfolk St. Cam —3F **21**
Norfolk Ter. Cam —3F **21**
Normanton Way. His —1A **6**
Northampton St. Cam
—1B **20** (1B **2**)
North Cotts. Cam —3C **28**
Northfield. Ful —2F **33**
Northfield. Gir —4D **5**
Northfield Av. Cam —2D **13**

North St. Cam —5B **12**
North Ter. Cam —2E **21**
Northumberland Clo. Cam —3D **13**
Norton Clo. Cam —1C **22**
Norwich St. Cam —5D **21**
Nuffield Clo. Cam —2B **14**
Nuffield Rd. Cam —3A **14**
Nun's Orchard. His —1A **6**
Nuns Way. Cam —2E **13**
Nursery Wlk. Cam —4B **12**
Nutter's Clo. Gran —3F **27**
Nuttings Rd. Cam —3C **22**

Oakington Rd. Cam —3D **5**
Oakley Ter. Cam —1F **31**
Oaks, The. Mil —4B **8**
Oak Tree Av. Cam —5E **13**
Oates Way. His —1A **6**
Occupation Rd. Cam —2F **21**
Old Farm Clo. His —1A **6**
Old School La. Mil —4C **8**
Ongar Ct. Cam —5E **15**
Orchard Av. Cam —4D **13**
Orchard Clo. Cam —5D **5**
Orchard Dri. Cam —2D **11**
Orchard End. Cam —5B **8**
Orchard Est. Cam —5E **23**
Orchard Rd. His —1B **6**
Orchard St. Cam —2D **21** (2F **3**)
Orchard St. Quy —4E **17**
Orchard Way. Oak —1B **4**
Oslar's Way. Ful —2D **33**
Owlstone Rd. Cam —5B **20**
Oxford Rd. Cam —5A **12**
Oyster Row. Cam —1A **22**

Paddock Clo. Imp —2B **6**
*Paddocks, The. Cam —3B **22***
(off Coldham's La.)
*Paddocks, The. C Hin —1B **30***
(off Cherry Hinton Rd.)
Pages Clo. His —2A **6**
Paget Clo. Cam —5D **29**
Paget Rd. Cam —5C **28**
Pakenham Clo. Cam —4F **13**
Palmers Wlk. Cam —3E **21**
Pamplin Ct. Cam —1E **31**
Panther Way. Cam —5F **23**
Panton St. Cam —4D **21**
Paradise St. Cam —2E **21**
Park Av. His —2F **5**
Park Dri. Imp —3B **6**
Parker's Ter. Cam —2F **21**
Parker St. Cam —3D **21** (3F **3**)
Park La. Cam —2E **5**
Park Pde. Cam —1C **20**
Parkside. Cam —3E **21**
Park St. Cam —2C **20** (1D **3**)
Park Ter. Cam —3D **21** (4F **3**)
Parlour Clo. His —1A **6**
Parr Clo. Imp —3B **6**
Parsonage St. Cam —2E **21**
Parsons Ct. Cam —3C **20** (3D **3**)
*Pavilion Ct. Cam —1D **13***
(off Minerva Way)
Peacock Way. His —1A **6**
Pearce Clo. Cam —4A **20**
Pearce's Yd. Gran —3F **27**
Pearmain Ct. Cam —4B **14**
Pearson Clo. Mil —5C **8**
Pease Way. His —2E **5**
Pea's Hill. Cam —3C **20** (3D **3**)
Pelham Ct. Cam —3B **12**
Pemberton Pl. Cam —4D **21**
Pemberton Ter. Cam —4D **21**
Pembroke St. Cam —3C **20** (4D **3**)
Pembroke Way. Tev —3A **24**
Penarth Pl. Cam —4F **19**
Pen Clo. Cam —1F **31**
Pentlands Ct. Cam —1E **21**
Pepys Ter. Imp —5B **6**
Pepys Way. Gir —1D **11**
Percheron Clo. Imp —3C **6**
Perne Av. Cam —1B **30**
Perne Rd. Cam —1B **30**
Perowne St. Cam —4F **21**
Perry Ct. Cam —2F **19**
Perse Way. Cam —3C **12**
*Petersfield. Cam —3E **21***
(off East Rd.)
Pettit's Clo. Ful —3E **33**
Petty Cury. Cam —3C **20** (3D **3**)
Petworth St. Cam —2F **21**
Peverel Clo. Cam —1D **23**
Peverel Rd. Cam —1C **22**
Pierce La. Ful —2D **33**
Pikes Wlk. Cam —2D **21** (2F **3**)
Pine Ct. Imp —4B **6**
Pinehurst. Cam —4A **20**
Pippin Dri. Ches —3B **14**
Poplar Rd. His —3A **6**
Porson Ct. Cam —3D **29**
Porson Rd. Cam —2D **29**
Portico Wlk. Cam —1D **13**
Portland Pl. Cam —2E **21**
Portugal Pl. Cam —2C **20** (1D **3**)
Portugal St. Cam —2C **20** (1D **3**)
(in two parts)
Post Office Ter. Cam —3D **21** (3E **3**)
Pound Hill. Cam —1B **20**
Pretoria Rd. Cam —1E **21**
Primary Ct. Cam —4A **14**
Primrose Clo. C Hin —2F **31**
Primrose Croft. Cam —5C **12**
Primrose St. Cam —5C **12**
*Princess Ct. Cam —5D **21***
(off Coronation St.)
Prince William Ct. Cam —5B **12**
Prior's Clo. His —2A **6**
Priory Rd. Cam —1F **21**
Priory Rd. Horn —5F **9**
Priory St. Cam —5B **12**
Prospect Row. Cam —3E **21**
Pryor Clo. Mil —4C **8**
Purbeck Rd. Cam —2E **29**
Pye Ter. Cam —5F **13**

Quainton Clo. Cam —1C **22**
Quayside. Cam —2C **20** (1D **3**)
Queen Edith's Way. Cam —3A **30**
Queens' La. Cam —3C **20** (4C **2**)
Queen's Meadow. Cam —5E **23**
Queen's Rd. Cam —2B **20** (1B **2**)
Queensway. Cam —1D **29**
Queens Way. Oak —1C **4**
Quorum, The. Cam —2E **23**
Quy Rd. Quy —2F **17**

Rachel Clo. Cam —5D **15**
Rackham Clo. Cam —5B **12**
Radegund Rd. Cam —5A **22**
Railway St. Cam —5E **23**
Ramsden Sq. Cam —2F **13**
Rathmore Clo. Cam —1F **29**
Rathmore Rd. Cam —1F **29**
Rawlyn Clo. Cam —1C **22**
Rawlyn Ct. Cam —1C **22**
Rawlyn Rd. Cam —1C **22**
Rayleigh Clo. Cam —2D **29**
Rayson Way. Cam —1C **22**

Recreation Clo. Mil —5C **8**
Red Cross La. Cam —4A **30**
Redfern Clo. Cam —3D **13**
Redgate Rd. Gir —5D **5**
Redwood Ct. Cam —4A **20**
Regatta Ct. Cam —5A **14**
Regent St. Cam
　　　　—3D **21** (4F **3**)
Regent Ter. Cam
　　　　—3D **21** (4F **3**)
Ribston Way. Cam —3B **14**
Richmond Rd. Cam —5A **12**
Richmond Ter. Cam —1C **20**
　(off Thompson's La.)
Rickard Clo. Cam —1D **31**
Ridley Hall Rd. Cam
　　　　—4B **20** (5B **2**)
Rivar Pl. Cam —3F **21**
River La. Cam —1F **21**
Riverside. Cam —1F **21**
Riverside Ct. Cam —1D **21**
Robert Jennings Clo. Cam
　　　　—3F **13**
Robert May Clo. Cam
　　　　—5C **22**
Robinson Way. Cam —4F **29**
Rock Rd. Cam —1F **29**
Rodings, The. Cam —5D **15**
Roedeer Clo. Cam —5F **23**
Roland Clo. Cam —4D **13**
Roman Courts. Cam —1D **13**
　(off Hercules Clo.)
Roman Hill. Bart —3B **26**
Romsey M. Cam —5A **22**
Romsey Rd. Cam —4B **22**
Romsey Ter. Cam —4A **22**
Ronald Rolph Ct. Cam
　　　　—5C **14**
Rose Cres. Cam
　　　　—2C **20** (2D **3**)
Roseford Rd. Cam —3B **12**
Roselea. Imp —3B **6**
Rosemary La. Cam —4E **23**
Rosina Ct. Cam —4A **22**
Ross St. Cam —4A **22**
Rotherwick Way. Cam
　　　　—4B **30**
Rothleigh Rd. Cam —2C **30**
Round Chu. St. Cam
　　　　—2C **20** (1D **3**)
Rowans, The. Mil —4B **8**
Roxburgh Rd. Cam —2D **13**
Rush Gro. Cam —1F **31**
Russell Ct. Cam —5D **21**
Russell St. Cam —5E **21**
Russet Ct. Cam —3B **14**
Rustat Rd. Cam —1F **29**
Rutherford Rd. Cam —3D **29**

Rutland Clo. Cam —3C **12**

Sable Clo. Cam —5F **23**
Sackville Clo. Cam —2D **13**
Sadlers Clo. Cam —2A **18**
Saffron Rd. His —3A **6**
St Albans Rd. Cam —3C **12**
St Andrew's Glebe. Cam
　　　　—5E **23**
St Andrew's Pk. His —1A **6**
St Andrew's Rd. Cam —1F **21**
St Andrew's St. Cam
　　　　—3D **21** (3E **3**)
St Andrews Way. Imp —2D **7**
St Anthonys Wlk. Cam
　　　　—5D **21**
St Audrey's Clo. His —2F **5**
St Barnabas Rd. Cam —4F **21**
St Bede's Cres. Cam —1D **31**
St Bede's Gdns. Cam —1D **31**
St Christopher's Av. Cam
　　　　—5B **12**
St Clements Gdns. Cam
　　　　—1D **3**
St Clements Gdns. Cam
　　　　—2C **20**
　(off Thompsons La.)
St Edward's Pas. Cam
　　　　—3C **20** (3D **3**)
St Eligius Pl. Cam —4D **21**
St Eligius St. Cam —5D **21**
St Johns Innovation Pk. Cam
　　　　—1B **14**
St John's La. Horn —4F **9**
St John's Rd. Cam —1C **20**
St John's Rd. Cot —2A **18**
St John's St. Cam
　　　　—2C **20** (2D **3**)
St Kilda Av. Cam —2F **13**
St Luke's St. Cam —1C **20**
St Margarets Rd. Gir —3E **11**
St Margaret's Sq. Cam
　　　　—2A **30**
St Marks Ct. Cam —4B **20**
St Mary's Pas. Cam
　　　　—3C **20** (3D **3**)
St Mary's St. Cam
　　　　—3C **20** (3D **3**)
St Matthew's Ct. Cam —2F **21**
St Matthew's St. Cam —2F **21**
St Neots Rd. Cam —1A **18**
St Paul's Pl. Cam —4E **21**
　(off St Paul's Wlk.)
St Paul's Rd. Cam —4E **21**
St Pauls Wlk. Cam —4E **21**
St Peter's Rd. Cot —2A **18**
St Peter's St. Cam —1B **20**

St Peter's Ter. Cam —4C **20**
St Philip's Rd. Cam —4A **22**
St Stephen's Pl. Cam —5B **12**
St Thomas's Rd. Cam
　　　　—1C **30**
St Thomas's Sq. Cam
　　　　—1C **30**
St Tibb's Row. Cam
　　　　—3D **21** (3E **3**)
St Vigor's Rd. Ful —3E **33**
St Vincent's Clo. Gir —1D **11**
Salisbury Pl. Cam —4C **28**
Salmon La. Cam —2E **21**
Sanders La. Ful —3F **33**
Sandwick Clo. Cam —1D **13**
Sandy La. Cam —5E **13**
Saxon Rd. Cam —1F **21**
Saxon St. Cam —4D **21**
Scaredale Clo. Ches —3A **14**
School Ct. Cam —4A **22**
School Hill. His —2A **6**
School La. Bart —3A **26**
School La. Ful —3E **33**
School La. His —3B **6**
Scotland Clo. Cam —4F **13**
Scotland Rd. Cam —5F **13**
Scotsdowne Rd. Cam
　　　　—4C **28**
Scroope Ter. Cam —4C **20**
Searle St. Cam —5C **12**
Sedgwick St. Cam —4A **22**
Sedley Taylor Rd. Cam
　　　　—3E **29**
Sefton Clo. Cam —4C **28**
Selwyn Gdns. Cam —4A **20**
Selwyn Rd. Cam —5A **20**
Senate Ho. Pas. Cam
　　　　—3C **20** (3C **2**)
Severn Pl. Cam —2F **21**
Seymour Ct. Cam —4B **22**
Seymour St. Cam —4B **22**
Shaftesbury Rd. Cam —1E **29**
Shelford Rd. Cam —5C **28**
Shelford Rd. Ful —5F **31**
Shelly Garden. Cam —1B **20**
Shelly Row. Cam —1B **20**
Shepherd's Clo. Cam —1F **31**
Sheppard Way. Tev —3A **24**
Sherbourne Clo. Cam —3A **14**
Sherbourne Ct. Cam —3A **14**
Sherlock Clo. Cam —5A **12**
Sherlock Ct. Cam —5A **12**
Sherlock Rd. Cam —4A **12**
Shirley Clo. Mil —4D **9**
Shirley Gro. Cam —4A **14**
Shirley Rd. His —3A **6**
Short Drove Way. Cam
　　　　—5F **17**

Short St. Cam
—2D **21** (2F **3**)
Sidgwick Av. Cam
—4B **20** (5A **2**)
Sidney Farm Rd. Cam
—1D **31**
Sidney St. Cam
—2C **20** (2D **3**)
Silverdale Av. Cot —2A **18**
Silver St. Cam
—4C **20** (5C **2**)
Silverwood Clo. Cam —2A **22**
Simons Ho. Cam —5B **12**
Sladwell Clo. Gran —4E **27**
Sleaford St. Cam —3F **21**
Smart's Row. Cam —3F **21**
Somerset Clo. Cam —2C **12**
Somerset Rd. His —3F **5**
Somervell Ct. Cam —2D **13**
Southacre Clo. Cam —1D **29**
Southacre Dri. Cam —1D **29**
Southbrooke Clo. Cam
—4C **28**
S. Green Rd. Cam —5F **9**
South Rd. Imp —5A **6**
Spalding Way. Cam —3C **30**
Speedwell Clo. Cam —1F **31**
Spens Av. Cam —4A **20**
Spring Clo. His —2B **6**
Springfield Rd. Cam —5D **13**
Springfield Rd. Imp —5B **6**
Springfield Ter. Cam —5D **13**
Spurgeon's Clo. Tev —3A **24**
Square, The. Horn —5F **9**
Square, The. Quy —3F **17**
Staffordshire Gdns. Cam
—*2F* **21**
(off Staffordshire St.)
Staffordshire St. Cam
—2F **21**
Stanesfield Clo. Cam —1C **22**
Stanesfield Rd. Cam —1C **22**
Stanley Ct. Cam —1A **22**
Stanley Rd. Cam —1A **22**
Stansfield Gdns. Ful —2E **33**
Stansgate Av. Cam —4A **30**
Stanway Clo. Cam —2E **21**
Starling Clo. Mil —3C **8**
Station Rd. Cam —5E **21**
Station Rd. Ful —2F **33**
Station Rd. His —2A **6**
Station Rd. Quy —1D **17**
Sterndale Clo. Gir —5D **5**
Sterne Clo. Cam —1A **30**
Stirling Clo. Cam —4F **13**
Stockwell St. Cam —4A **22**
Stonebridge La. Ful —3F **33**
Stone St. Cam —3A **22**

Storey's Way. Cam —1A **20**
Stott Gdns. Cam —3F **13**
Stourbridge Gro. Cam
—3B **22**
Stow Rd. Quy —4E **17**
Strangeways Rd. Cam
—3C **30**
Stratfield Clo. Cam —4A **12**
Strathcarron Ct. Cam
—2D **13**
Stretten Av. Cam —5C **12**
Stukeley Clo. Cam —4F **19**
Stulp Field Rd. Gran —3F **27**
Sturton St. Cam —2F **21**
Suez Rd. Cam —5B **22**
Summer Ct. Cam —1C **22**
Summerfield. Cam —4B **20**
Sunmead Wlk. Cam —1F **31**
Sunnyside. Cam —2D **23**
Sun St. Cam —2F **21**
Sussex St. Cam
—2D **21** (2E **3**)
Sutton Clo. Mil —3C **8**
Swann's Rd. Cam —5B **14**
Swann's Ter. Cam —4F **21**
Swifts Corner. Ful —2E **33**
Sycamore Clo. Cam —1C **30**
Sycamores, The. Mil —4B **8**
Sylvester Rd. Cam —3A **20**
Symonds Clo. His —2A **6**
Symonds La. Gran —3F **27**

Tabrum Clo. Gran —3E **27**
Talbot Ho. Cam —1E **31**
Tamarin Gdns. Cam —1F **31**
Taunton Clo. Cam —5C **22**
Tavistock Rd. Cam —3B **12**
Teasel Way. Cam —2F **31**
Tedder Way. Cam —3C **12**
Temple Ct. Cam —1D **13**
(off Hercules Clo.)
Tenby Clo. Cam —1F **31**
Tenison Av. Cam —4E **21**
Tenison Ct. Cam —4F **21**
Tenison Rd. Cam —5F **21**
Tennis Ct. Rd. Cam
—3D **21** (4E **3**)
Tennis Ct. Ter. Cam
—3D **21** (4E **3**)
Teversham Drift. Cam
—5F **23**
Teversham Rd. Ful —1D **33**
Teynham Clo. Cam —5C **22**
Thetford Ter. Cam —1D **23**
Thirleby Clo. Cam —4C **12**
Thoday St. Cam —4A **22**
Thomas Rd. Ful —2C **32**

Thompson's La. Cam
—2C **20** (1D **3**)
(in two parts)
Thorleye Rd. Cam —2C **22**
Thornton Clo. Gir —3F **11**
Thornton Ct. Gir —3E **11**
Thornton Rd. Gir —2E **11**
Thornton Way. Gir —3F **11**
Thorpe Way. Cam —5D **15**
Thrift's Wlk. Cam —5A **14**
Thulborn Clo. Tev —3A **24**
Tillyard Way. Cam —3C **30**
Tiptree Clo. Cam —5E **15**
Tiverton Way. Cam —5B **22**
Tom Amey Ct. Cam —4A **22**
Topcliffe Way. Cam —4B **30**
Topham Way. Cam —3C **12**
Town Clo. Ful —2E **33**
Townsend Clo. Mil —3C **8**
Trafalgar Rd. Cam —1D **21**
Trafalgar St. Cam —1D **21**
Tredegar Clo. Cam —3D **13**
Tredgold La. Cam —2E **21**
Trevone Pl. Cam —5B **22**
Tribune Ct. Cam —2D **13**
(off Northfield Av.)
Trinity Hall Farm Ind. Est.
Cam —2A **14**
Trinity La. Cam
—3C **20** (3C **2**)
Trinity St. Cam
—2C **20** (2D **3**)
Trumpington Rd. Cam
—3C **28**
Trumpington St. Cam
—3C **20** (4D **3**)
Trust Ct. His —4A **6**
Turpyn Ct. Cam —2D **13**
Tweedale. Cam —2E **31**
Tweedsmuir Ct. Cam —2D **13**

Union La. Cam —4E **13**
Union Rd. Cam —4D **21**
Uphall Rd. Cam —3C **22**
Up. Gwydir St. Cam —3F **21**

Valerian Ct. Cam —2F **31**
Velos Wlk. Cam —5D **15**
(off Ann's Rd.)
Ventress Clo. Cam —2C **30**
Ventress Farm Ct. Cam
—2D **31**
Verulam Way. Cam —2C **12**
Vicarage Dri. Gran —3F **27**
Vicarage Ter. Cam —3F **21**
Victoria Av. Cam —1D **21**

Victoria Homes. Cam
—5D **13**
Victoria Pk. Cam —5C **12**
Victoria Rd. Cam —1B **20**
Victoria St. Cam
—3D **21** (3F **3**)
Villa Ct. Cam —1D **13**
Villa Pl. Imp —4B **6**
Villa Rd. Cam —4B **6**
Vinery Rd. Cam —4B **22**
Vinery Way. Cam —3B **22**
Violet Clo. Cam —2F **31**

Wadloes Footpath. Cam
—5D **15**
Wadloes Rd. Cam —5C **14**
Wagstaff Clo. Cam —2E **13**
Walker Ct. Cam —3D **13**
Walking Way. Cam —4C **8**
Walnut Tree Av. Cam —1F **21**
Walpole Rd. Cam —2C **30**
Ward Rd. Cam —1C **30**
Warfield Ct. Ches —4E **13**
Warkworth St. Cam —3E **21**
Warkworth Ter. Cam —3E **21**
Warren Rd. Cam —4F **13**
Warwick Rd. Cam —4B **12**
Washpit Rd. Cam —1B **10**
Water La. Ches —4A **14**
Water La. His —3B **6**
Water La. Oak —1B **4**
Water St. Cam —5A **14**
Wavell Way. Cam —3D **13**
Wedgewood Dri. C Hin
—1E **31**
Wellbrook Ct. Gir —2E **11**
Wellbrook Way. Cam —2E **11**
Wellington Pas. Cam —2F **21**
Wellington St. Cam —2E **21**
Welstead Rd. Cam —1F **31**
Wentworth Rd. Cam —5A **12**
Wenvoe Clo. Cam —1E **31**
Westbury Ct. Cam —4A **20**

Westering, The. Cam
—1D **23**
Westfield La. Cam —5B **12**
Westfield Rd. Cam —5A **12**
West Gdns. Cam
—3B **20** (4A **2**)
Westgate. Cam —2D **31**
Weston Gro. Ful —2D **33**
West Rd. Cam —3B **20** (4A **2**)
West Rd. His —3A **6**
West View. Cam —5B **20**
Wetenhall Rd. Cam —4A **22**
Wheeler St. Cam
—3C **20** (3D **3**)
Wheelwright Way. Quy
—4F **17**
Whitehill Clo. Cam —2C **22**
Whitehill Rd. Cam —1B **22**
Whitehouse La. Cam —4F **11**
Whitfield Clo. Cam —2E **13**
Whitgift Rd. Tev —4A **24**
Whitwell Way. Cot —2A **18**
Whyman's La. Cam —1B **20**
Widnall Clo. Gran —3E **27**
Wilberforce Rd. Cam —2A **20**
Wilbraham Rd. Cam —1F **33**
Wilderspin Clo. Gir —3E **11**
Wilding Wlk. Cam —4F **13**
Wiles Clo. Cam —2F **13**
Wilkin St. Cam —4F **21**
William Smith Clo. Cam
—4F **21**
Willis Rd. Cam —3E **21**
Willow Cres. Mil —4C **8**
Willow Pl. Cam —2E **21**
Willow Wlk. Cam
—2E **21** (2F **3**)
Wilson Clo. Cam —3F **13**
Wilson Way. Mil —4C **8**
Wimpole Rd. Cam —4A **26**
Winchmore Dri. Cam
—4B **28**
Windermere Clo. Cam
—5F **23**

Winders La. His —1A **6**
Windlesham Clo. Cam
—3D **13**
Windmill La. Ful —2D **33**
Windmill La. His —2A **6**
Windrush Caravan Pk. Cam
—1A **32**
Windsor Rd. Cam —4A **12**
Wingate Clo. Cam —4C **28**
Wingate Way. Cam —4C **28**
Winship Rd. Mil —5B **8**
Woburn Clo. Cam —2D **13**
Wolsey Way. Cam —5E **23**
Woodcock Clo. Imp —3C **6**
Woodhead Dri. Cam —3E **13**
Woodhouse Way. Cam
—2F **13**
Woodlands Pk. Gir —5C **4**
Woodlark Rd. Cam —4A **12**
Woodman Way. Mil —4C **8**
Woody Grn. Gir —1D **11**
Woolaston Rd. Cam —3E **21**
Wootton Way. Cam —4F **19**
Wordsworth Gro. Cam
—4B **20**
Worts Causeway. Cam
—4B **30**
Wright's Clo. F Dit —3D **15**
Wulfstan Ct. Cam —3B **30**
Wulfstan Way. Cam —3B **30**
Wycliffe Rd. Cam —4B **22**
Wynborne Clo. Cam —4D **13**
Wynford Way. Cam —2D **13**

Yarrow Rd. Cam —2F **31**
York St. Cam —2F **21**
York Ter. Cam —3F **21**
Youngman Av. His —1B **6**
Youngman Clo. His —1B **6**
Young St. Cam —2F **21**

Zetland Wlk. Cam —5C **22**

INDEX TO COLLEGES, LIBRARIES, MUSEUMS & OTHER PLACES OF INTEREST

46 A-Z Cambridge

University Library. —3B **20** (3A **2**)
University Museum. —3D **3**
University Observatory. —1F **19**
University of Cambridge School of
        Veterinary Medicine. —1E **19**

Wesley House. —2D **21** (1E **3**)

Westcott House. —2D **21** (1E **3**)
Westminster College. —1B **20**
Whipple Science Museum. —4D **3**
Whittle Laboratory. —1F **19**
Wolfson College. —4A **20**
Wolfson Ct. —2A **20**
  (Girton College)